Somberheid
troef

Somberheid troef

Feiten, vragen en verhalen rond depressie

Paul Wisman, psychiater

Inmerc bv, Utrecht/Antwerpen

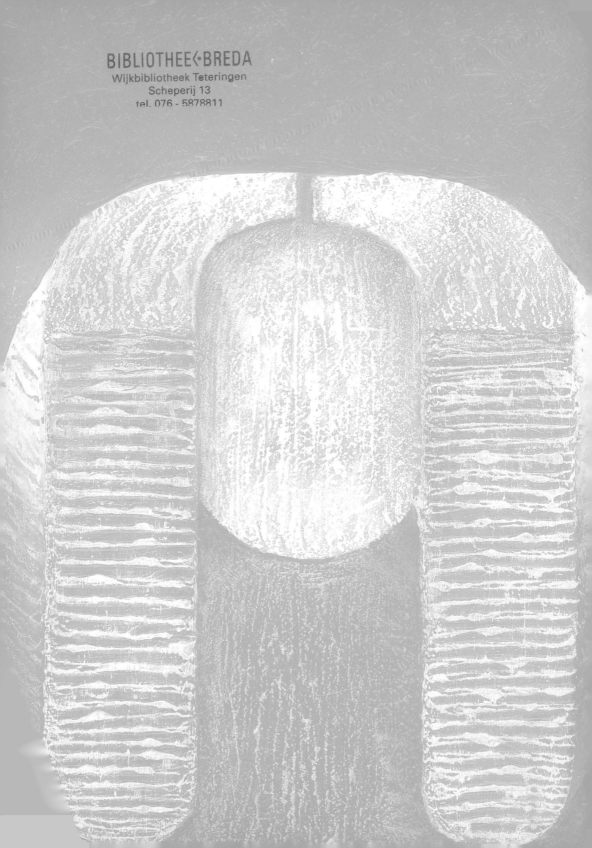

Inhoud

Het verhaal van HarmJan van Klaveren

HarmJan van Klaveren deed zijn naam eer aan. Hij hield van bier, van het café, maar bovenal van kaarten. Klaverjassen. Het was al op de middelbare school begonnen. En toen ze hem spottend 'boer' gingen noemen, vatte hij dat op als een geuzennaam. Vanaf toen kende iedereen hem als 'Boer' van Klaveren. Hij was geen echte boer. Zijn ouders hadden moeizaam geploeterd op een klein boerenbedrijf in het oosten van het land, maar dat was te klein om van te leven. Ze hadden het moeten verkopen en leefden nu van een mager pensioentje. HarmJan, 'Boer', was hun enig kind en ze waren heel gelukkig met elkaar. Hij verdiende de kost als onderhoudsmonteur van een aantal ingewikkelde landbouwmachines. En al was hij inmiddels de dertig ruim gepasseerd, hij had nog geen enkele aanleiding gevonden om het warme ouderlijke nest te verlaten. Als vrienden hem daarmee plaagden zei hij dat hij wachtte op Nellie Jassen. Maar die bestond natuurlijk helemaal niet. En dat was maar goed ook, want nu had hij alle tijd van de wereld om in zijn stamkroeg het edele klaverjasspel te beoefenen. Toen ouwe Teun na zijn tweede beroerte de kaarten niet meer van elkaar kon onderscheiden, volgde 'Boer' hem op als aanvoerder van het team. Er werd op leven en dood geklaverjast tegen teams uit naburige dorpen. En als ze weer eens gewonnen hadden zongen ze luidkeels 'De boer is troef' van hun eigen band, Normaal.

Zo ging het leven voor 'Boer' en de zijnen jarenlang zijn gangetje. Heel normaal. Daar was ook niks mis mee. Tot er op zekere dag een uitwedstrijd gespeeld werd tegen een of ander boerengehucht in de buurt. Ze hadden makkelijk moeten winnen, maar het liep ditmaal niet zo lekker. 'Boer' maakte een wat afwezige indruk, alsof hij andere dingen aan zijn hoofd had. In de beslissende fase leek het echter allemaal goed te komen. De noordspeler had het spel aangenomen, schoppen was troef en naast hem, op oost, zat 'Boer' met drie kleine schoppen. Noord had alleen de twee hoogste. Na twee rondjes troeftrekken speelde 'noord' zijn hartenaas. Kat-in-het-bakkie. Maar 'Boer' troefde hem af en vervolgde met ruitenaas, daarna de tien, om ze wat te zieken daarna ruitenzeven (niemand had natuurlijk meer ruiten, en de troeven waren eruit) en toen nog ruitenheer. Fantastisch. De laatste slag incasseerde hij met hartentien. Nat gespeeld! Wedstrijd gewonnen! Het plezier was maar van korte duur. 'Boer' had de hartenaas nooit mogen aftroeven met de tien nog in zijn hand: dachten ze dat zij achterlijk waren? Omdat ze uit een kleiner dorp kwamen dan hij? Het zou zonder meer uitgelopen zijn op een stevige vechtpartij, maar er klopte iets niet. 'Boer' zei niets. Hij keek nog steeds vreemd uit zijn ogen. Alsof hij er niet bij was. Zijn team maakte excuses, betaalde de rekening en ze gingen terug.

De dagen daarna werd steeds duidelijker dat 'Boer' zichzelf niet was. Hij kon zich ook moeilijk op zijn werk concentreren, en dat was toch echt wel de bedoeling met die ingewikkelde machines. Zijn baas stuurde hem naar huis: hij was vast 'overwerkt of zoiets moderns'. 'Neem een week vakantie en dan zie ik je graag gezond weer terug.' Moeder deed haar best om lekkere dingen te koken voor haar oogappel, maar tevergeefs. 'Boer' was zijn levenslust aan het verliezen, hij had een gekwelde blik in zijn ogen en lag hele nachten wakker. Niemand wist wat er aan de hand was. Er was ook helemaal niets aan de hand. En 'Boer' vond dat misschien nog wel het ergste. Als hij had geweten wat hem dwarszat had hij er iets aan kunnen doen, maar nu… Alle fut, alle levenskracht was uit hem weggevloeid en toch was er niets aan de hand. Was hij gek aan het worden? Of werd nu pas duidelijk dat er iets mis was met hem? Dat hij niet deugde, dat hij een waardeloos leven leidde, passend bij een waardeloze figuur?

Commentaar op het verhaal van 'Boer'

De kans is groot dat onze 'Boer' aan een echte depressie lijdt, die zomaar, als een donderslag bij heldere hemel, zijn rustige leventje in de war schopt. Er kan natuurlijk van alles achter zitten. Het zou kunnen dat hij onbewust toch niet tevreden was, dat hij liever een meisje zou vinden, op zichzelf zou gaan wonen en meer van de wereld zou willen zien dan louter kroegen en klaverjaskaarten.

Uit wetenschappelijk onderzoek weten we dat van alle mensen in ons land jaarlijks vijf procent dit soort klachten krijgt: één op de twintig. En er is vijftig procent kans dat 'Boer', net als die duizenden andere depressievelingen, met deze klachten naar zijn huisarts gaat. En dan is er weer vijftig procent kans dat de huisarts hem depressief vindt en een kuurtje met medicijnen voorschrijft. Maar er is ook zestig procent kans dat de klachten bij 'Boer' binnen zes maanden vanzelf weer overgaan – met helaas meer dan zestig procent kans dat het een keer terugkomt. En er is twintig procent kans dat het níét overgaat, dat het langer duurt dan twee jaar.

Maar wat heb je als individu, als slachtoffer van een depressie, aan al die getallen? Je wilt je gewoon weer goed voelen. Het verhaal van 'Boer' kan op veel manieren verder gaan. Laten we hopen dat hij niet eigenwijs is, dat hij een goede huisarts heeft en dat die meer doet dan alleen maar medicijnen geven. Misschien stuurt hij hem door naar een psycholoog om te laten uitzoeken wat hem mogelijk dwarszit in zijn leven. Depressie is een akelige ziekte, die iedereen kan treffen. Maar ze biedt ook een kans: je wordt gedwongen stil te staan bij jezelf en je af te vragen hoe je in het leven staat. Met een beetje geluk kom je er beter uit. Dat geluk kun je voor een deel afdwingen, maar niet helemaal. Depressies komen veel voor, in alle 'soorten en maten'. Als het u overkomt, of iemand die u dierbaar is, dan helpt het om er zoveel mogelijk van af te weten. Kennis is macht.

Inleiding

Iedereen depressief?

Iedereen is tegenwoordig depressief. Tenminste, zo lijkt het af en toe als je tv kijkt of de kranten leest. Niemand oogt blij en tevreden en als je dat wel bent, kun je dat maar beter verborgen houden, anders word je niet meer serieus genomen. Verstandige mensen zeggen dat het, als je geestelijk gezond bent en je goed om je heen kijkt, logisch is dat je somber wordt – of depressief. Er kunnen best nog mooie dingen gebeuren en er mag af en toe gelachen worden, maar de grondstemming is depressief. Somberheid is troef.

Wat betekent dat voor ons? Moeten we allemaal pillen gaan slikken of doet de overheid ze al stiekem in ons drinkwater? Zitten we hier op aarde moeizaam onze tijd uit of loopt het allemaal zo'n vaart niet? Hebben we alleen maar een nieuwe regering nodig, moeten we de bonussen van de bankdirecteuren onder elkaar verdelen en iedereen die ons niet bevalt naar een onbewoond eiland sturen? Zijn we het slachtoffer van de waan van de dag? Maken de kranten, de tv, de politici ons maar wat wijs? Is het dat ongeluk beter 'verkoopt' dan geluk, dat ontevredenheid beter 'scoort' dan tevredenheid, dat 'ze' het misschien zelf zijn gaan geloven? Of is onze moderne westerse wereld zo ingewikkeld geworden dat somberheid de prijs is die we daarvoor moeten betalen? Het is tijd om kritisch na te denken. Zijn we echt allemaal zo depressief en zo ja, wat moeten we daarmee? En wat vindt de medische wetenschap daarvan?

In *Somberheid troef* wordt geprobeerd het zware onderwerp 'depressie' zo toegankelijk mogelijk te maken voor een breed publiek. Vaktaal wordt als het even kan vermeden en moeilijke woorden en begrippen worden uitgelegd. Achter in het boek is een lijst van moeilijke woorden, begrippen en afkortingen te vinden (zie 'Gebruikte termen'), en ook een overzicht van nuttige instanties met adressen, tips om verder te lezen en vooral – niet meer weg te denken in deze computertijd! – een aantal heel goede, betrouwbare websites.

Het boek bestaat voor een groot deel uit feiten. Die worden soms aangevuld met vragen (en antwoorden), om een en ander nog eens goed uit te leggen, en verder met voorbeelden: verhalen van mensen die zelf een depressie hebben doorgemaakt.

feiten, vragen en verhalen

In het feitendeel vindt u alle basisinformatie over het ziektebeeld depressie volgens de laatste stand van zaken van de wetenschap.

Wat betekent het woord 'depressie', wat is het verschil tussen 'depressie' en 'rouw', wanneer wordt gewone somberheid een ziekte, wat zijn de oorzaken en gevolgen, en vooral: wat is er aan te doen? Daarnaast worden in de tekst een aantal goed uitgewerkte voorbeelden gepresenteerd, van mannen en vrouwen, jong en oud, die op een gegeven moment in hun leven depressief werden. Hun verhalen laten zien wat het voor een patiënt betekent om depressief te zijn en hoe het zo ver kon komen. Sommige verhalen zullen bij lezers met een depressie een gevoel van herkenning oproepen. Dit kan beangstigend zijn, maar over het algemeen helpen andermans ervaringen om jezelf beter te begrijpen en zo beter met je ziekte om te gaan.

andermans ervaringen helpen om jezelf beter te begrijpen

Spreekuur Thuis

Wie met klachten naar een dokter gaat, wil in de eerste plaats weten wat er aan de hand is (de diagnose) en wat eraan te doen valt (de behandeling). Van de dokter (huisarts of specialist) mag verwacht worden dat hij niet alleen een diagnose stelt en deze aan zijn patiënt meedeelt. Hij moet tevens zo goed mogelijk duidelijk maken wat die diagnose inhoudt: om wat voor ziekte gaat het; wat zijn de karakteristieke kenmerken ervan; hoe kom je eraan en hoeveel mensen hebben dezelfde ziekte; wat betekent het om aan deze ziekte te lijden en wat zijn de gevolgen voor het dagelijkse leven van de patiënt en zijn omgeving. En wat de behandeling betreft: welke mogelijkheden zijn er en wat zijn de voor- en nadelen daarvan? Wat moet de patiënt zelf doen en laten voor zijn herstel en hoe kan hij de moed erin houden tijdens de behandeling?

Veel patiënten verlaten de spreekkamer min of meer overdonderd door de hoeveelheid informatie die zij gekregen hebben. Natuurlijk zullen zij niet alles precies onthouden wat ze te horen hebben gekregen, en hebben ze dingen ook verkeerd begrepen (bijvoorbeeld doordat die niet duidelijk werden uitgelegd). Bovendien is iedere patiënt weer anders. Algemene informatie sluit vaak niet goed aan op de bijzondere situatie van de patiënt. Met andere woorden, niet alleen tijdens het eerste gesprek met de arts, maar ook in de loop van de verdere behandeling zal de patiënt regelmatig met vragen komen: vragen om dingen nog eens duidelijk uitgelegd te krijgen en ook nieuwe vragen, naar aanleiding van wat de patiënt in de loop van de behandeling tegenkomt.

In de praktijk is er vaak weinig tijd voor intensief contact tussen patiënt en arts. Het spreekuur is overvol en dat geldt nog meer voor de vervolgafspraken. De arts realiseert zich niet altijd hoe weinig de patiënt onthouden heeft van de eerder verstrekte informatie en wat de ziekte en de behandeling precies voor de patiënt betekenen. Aan de andere kant van zijn bureau zit de patiënt, die zich toch al niet zo goed voelt. Deze is tenslotte niet voor niets de patiënt. En hij beseft dat de dokter het druk heeft en niet zit te wachten op 'domme' vragen. Hij denkt: ik zoek het thuis wel verder uit. Maar thuis weten hij en zijn omgeving ook niet wat er precies aan de hand is en wat er gedaan kan worden. Een mogelijk gevolg is dat er onnodige misverstanden groeien tussen de patiënt, de arts en de rest van zijn omgeving. Dit vermindert de kans van slagen van de behandeling en derhalve de kans op herstel van de patiënt. Want deze heeft, om een behandeling langere tijd vol te houden, heel wat wilskracht nodig. Dat volhouden, die motivatie om door te gaan, noemen we *therapietrouw*. En naast deze motivatie is ook een voortdurende communicatie tussen de patiënt en zijn behandelaar een vereiste.

De gedachte achter de serie Spreekuur Thuis is wat van de druk weg te nemen die ligt bij de contacten tussen arts en patiënt. Net als bij het echte spreekuur wordt er ruimschoots informatie gegeven. En net als bij dat spreekuur worden er vragen beantwoord. Niets kan natuurlijk het directe menselijke contact vervangen tussen arts en patiënt. Maar papier is geduldig en teksten kunnen herlezen worden – door de patiënt en alle andere betrokkenen. Want een depressie heb je niet alleen. Ik wil van het begin af aan benadrukken dat als je aan een depressie lijdt, je hele gezin, je hele omgeving daar ook onder lijdt, en dat niets zo goed helpt bij het herstel als mensen om je heen die je begrijpen en steunen.

onnodige misverstanden tussen de patiënt, de arts en de rest van zijn omgeving

Wat is depressie precies (en wat is het niet)?

Depressie: een modewoord

In dit boek draait het om de 'depressie als ziekte', om preciezer te zijn: om 'depressie als psychiatrische ziekte' – ook wel 'stemmingsstoornis' of 'depressie in engere zin' (afgekort i.e.z.) genoemd. Meestal wordt er gewoon van 'depressie' gesproken wanneer uit de omstandigheden voor iedereen wel duidelijk is dat het om de *ziekte* depressie gaat. Dit kan soms tot spraakverwarring en misverstanden leiden omdat de ene depressie de andere niet is. We zullen dit in de loop van dit hoofdstuk proberen uit te leggen. In het bestaande spraakgebruik vallen namelijk ook de termen 'depressie', 'depressief' en 'depressiviteit' als er géén sprake is van ziekte. Netter zou zijn om dan woorden te gebruiken als 'somber', 'neerslachtig' of 'gedeprimeerd'.

Hoe het ook zij, het spraakgebruik laat zich niet dwingen en het woord 'depressie' ligt velen kennelijk prettig in de mond. Het is een modewoord geworden. Iedereen heeft wel een mening over wat een depressie is en wat het betekent om depressief te zijn. Voel je je vandaag ook een beetje 'depri'? Soapseries laten zien hoe naar het is om aan depressie te lijden en anders weten we dat wel uit eigen ervaring of zien we dat bij iemand die we kennen. En toch is er nog heel veel onbekend. Dokters en andere hulpverleners worden overspoeld met vragen van mensen: hebben ze zelf een depressie? Hoe kom je daar achter? En: hoe kom je er aan en hoe kom je er weer af? Wat moet je doen als je denkt dat iemand in je omgeving depressief is? Wat zijn de voor- en nadelen van medicijnen? Welke behandelingen zijn er nog meer naast medicijngebruik?

Aan het einde van dit boek hopen wij dat u op al deze vragen voldoende antwoord heeft gekregen. Dat wil zeggen, voor zover die antwoorden beschikbaar zijn volgens de huidige stand van de wetenschap. Dit hoofdstuk biedt de algemene basiskennis over het onderwerp: de feiten.

Kort intermezzo: professor Kuiper en prins Claus

Wat hebben deze twee mensen met elkaar te maken? Alle psychiaters kennen professor P.C. Kuiper, omdat hij in de jaren zestig en zeventig van de vorige eeuw de bekendste psychiater in Nederland was die vele toonaangevende leerboeken op zijn naam had staan. En juist hij werd slachtoffer van een psychiatrische ziekte. In 1983 raakte hij ernstig depressief en moest zelfs in een psychiatrisch ziekenhuis worden opgenomen. In de loop van enkele jaren knapte hij goed op en schreef hij een boek over zijn ervaringen onder de naam *Ver heen*. Hij wás ook ver heen, en zijn geschiedenis is nog steeds leerzaam voor alle psychiaters: ze maakt duidelijk dat iedereen depressief kan worden, zelfs de bekendste professor in de psychiatrie.

Een depressie kan iedereen overkomen. Voor het grote publiek was prins Claus hiervan het voorbeeld. Het hele land leefde met hem mee toen hij onverwacht ziek werd. Een maand na zijn opname in het Radboud Ziekenhuis, op 1 oktober 1982, vaardigde de Rijksvoorlichtingsdienst communiqué-314 uit. De letterlijke tekst ervan luidde: 'Zijne Koninklijke Hoogheid Prins Claus is heden, in verband met klachten van depressieve aard, voor enkele weken opgenomen in de Universiteitskliniek te Basel bij prof. dr. P. Kielholz.' Het nieuws sloeg in als een bom. Dat zo'n voortreffelijke persoon als onze prins depressief kon worden! Heel bijzonder was ook dat er openlijk over gesproken kon worden. Het heeft veel depressieve mensen geholpen, waardoor ze zich minder schaamden over hun eigen ziekte: het kan iedereen overkomen! Helaas ging de ziekte bij prins Claus niet zo snel over als meestal het geval is bij een depressie. Er volgde nog een lijdensweg van twintig jaar. Maar dankzij hem, en wat de deskundigen betreft ook dankzij professor Kuipers, is de ziekte depressie algemeen erkend als een zeer ernstige aandoening, die iedereen kan treffen. Gelukkig krijgen de meeste mensen een vorm van depressie die heel wat beter te behandelen is, maar daarover later meer.

Het woord depressie heeft verschillende betekenissen

Laten we beginnen bij het begin. Wat betekent het woord 'depressie'? Een manier om daar achter te komen is om het op te zoeken in het woordenboek. In de laatste druk van de 'Dikke van Dale', stuiten we bij 'depressie' op een groot aantal verschillende betekenissen, onder andere: 'weersgebied van lage luchtdruk', 'economische inzinking'. Als vijfde betekenis staat er: *gedrukte gemoedsstemming, in het bijzonder langdurige, ziekelijke neerslachtigheid, gekenmerkt door gebrek aan werk- en levenslust*. Het is maar dat u het weet. Het woord 'depressie' is afgeleid van het Latijnse werkwoord 'deprimere' dat zoiets betekent als 'terneerdrukken', 'naar beneden drukken'. En omdat er veel zaken blootstaan aan neerdrukkende krachten, bestaan er dus ook veel soorten depressies. Deze hebben vervolgens onderling in meerdere of mindere mate met elkaar te maken: een depressie in de economie bezorgt veel mensen een depressie in hun stemming of in hun portemonnee (of alle twee). Een vergelijking die verhelderend kan werken is die van de psychische depressie met de weerkundige depressie.

Onze stemming lijkt op het weer

In dit boek gaat het vooral over depressie in de betekenis van een 'sombere, gedrukte stemming' (al dan niet ziekelijk). Om dat goed te begrijpen moeten we eerst wat meer weten van het begrip 'stemming'. Wat is dat eigenlijk, een stemming? Je staat er niet dagelijks bij stil, maar iedereen heeft een stemming. Anders gezegd: iedereen is voortdurend onderhevig aan (wisselende) stemmingen. Vandaar de vergelijking met het weer. Want er is ook altijd weer: mooi weer, druilerig weer, wisselvallig weer... vul zelf maar aan. Net zoals mensen steeds in een bepaalde stemming zijn. Dat gaat vanzelf; zelfs als je zegt dat je 'nergens voor in de stemming bent', heb je op dat moment toch een stemming. Een weerkundige depressie betekent dat er somber weer op til is en een depressie bij de psychiater betekent dat iemand last heeft van een sombere stemming.

De stemming is bij een mens opgebouwd uit verschillende elementen. Er is een basisstemming, die van persoon tot persoon kan verschillen (vergelijkbaar met de klimaatsverschillen tussen landen). Er zijn onverbeterlijke optimisten, bij wie de zon altijd schijnt, en er zijn verstokte zwartkijkers. Bovendien is die basis- of grondstemming onderhevig aan diverse ritmes en cycli: het dag-en-nachtritme, de wisseling der seizoenen, de menstruele cyclus (bij de vrouw uiteraard) en wie weet welke ritmes nog meer, zoals de veranderende stand van de maan en de planeten. De gevoeligheid voor dit soort *bioritmen* is aangeboren en verschilt van persoon tot persoon. We kennen avondmensen en ochtendmensen. En we weten ook dat sommige vrouwen meer last hebben van een slecht humeur rond hun ongesteldheid.

iedereen is voortdurend onderhevig aan (wisselende) stemmingen

ANTWOORD: Natuurlijk zit er geen echte klok in je hersenen ver-stopt, maar wel een ingewikkeld regelmechanisme dat het zoge-noemde circadiane ritme stuurt. Dat is een vierentwintiguurs-ritme dat belangrijk is voor de manier waarop wij functioneren. Men noemt dat de biologische klok. Heel veel vitale lichaams-functies worden door die klok geregeld: wanneer we slaap krij-gen, naar bed gaan en weer wakker worden (de 'slaap/waakcy-clus'), maar ook schommelingen in de lichaamstemperatuur (die 's nachts een beetje lager is), het volume van de urineblaas (an-ders zou je er 's nachts nog vaker uit moeten om naar de wc te gaan), de behoefte aan eten en drinken. En nog veel meer. Door deze klok zijn wij zo 'afgesteld' dat we elk etmaal alles op vaste tijden doen wat nodig is: werken, eten, slapen.

Wie in een ploegendienst werkt, weet uit eigen ervaring hoe las-tig het kan zijn als je werkritme niet meer gelijkloopt met je bio-logische klok. De één kan daar beter tegen en past zich sneller aan dan de ander. Dat geldt ook voor het effect van een verre vliegreis: de jetlag.

er zijn aanwijzingen dat de biologische klok bij een depressie van slag is

Er zijn aanwijzingen dat de biologische klok bij een depressie ook van slag is. Mensen liggen vaak uren wakker en kunnen pas tegen de ochtend in slaap komen, of ze worden veel te vroeg wakker en krijgen overdag slaap. Vroeger werden depressieve patiënten wel-eens behandeld met 'slaapdeprivatie' of 'slaaponthouding'; dan werden ze expres vierentwintig uur wakker gehouden. Het was dan de bedoeling hun biologische klok een 'slinger' te geven, in de hoop dat die daarna weer regelmatig zou gaan lopen. En in-derdaad, direct na de slaaponthouding was de depressie vaak als sneeuw voor de zon verdwenen. Helaas bleef dat effect niet lan-ger dan een dag of twee bestaan. Dit soort behandelingen wordt daarom niet meer toegepast. Maar er wordt nog steeds gezocht naar andere methoden om onze biologische klok te corrigeren, bijvoorbeeld via slaapmiddelen in combinatie met antidepres-siva. Een slechte keuze, want slaapmiddelen bestrijden alleen het symptoom, de klacht, en veranderen niets aan de biologische klok. Er zijn wel veelbelovende proeven gedaan met medicijnen die rechtstreeks het circadiane ritme beïnvloeden; deze zouden dan tevens antidepressief werken.

Terug naar onze stemming: die wordt mede bepaald door alles wat we eerder in ons leven hebben meegemaakt, door ons karak-ter en onze persoonlijkheid en door de manier waarop we geleerd hebben om met problemen om te gaan. En meer in het algemeen:

door de wijze waarop we tegen het leven aankijken. En dan is er nog zoiets als 'biologische kwetsbaarheid'. Met dat laatste bedoelen wij de (aangeboren) neiging om in bepaalde situaties te reageren met depressieve symptomen of klachten.

Samenvattend: hoe onze stemming op een zeker moment is wordt niet alleen bepaald door wat wij op een gegeven moment meemaken, hoe wij eraan toe zijn en in welke omstandigheden we verkeren, maar wordt ook, en in sterke mate, bepaald door alles wat we eerder hebben beleefd. Daarom worden sommige mensen een beetje opgemonterd als ze op straat een draaiorgel horen. Ze voelen zich prettig door de muziek die hen aan mooie ogenblikken uit hun jeugd herinnert. Maar iemand anders reageert chagrijnig en denkt: weer zo'n klaploper die met z'n bakje om geld loopt te bedelen in plaats van een fatsoenlijke baan te zoeken.

Het verhaal van Cor en Cora – weerhuisje in actie*

Dokter van Zwam, psychiater in ruste, hield nog steeds van zijn vak. Hij was nu negenenzestig jaar en iedereen vond dat hij zijn rust verdiend had. Maar hij miste het contact met zijn patiënten en was blij als hij af en toe nog iets te doen kreeg. Vandaag kwam er een brief van Cor. Hij kon zich het echtpaar Cor en Cora nog heel goed herinneren. Een groter verschil in persoonlijkheid was hij binnen een huwelijk maar zelden tegengekomen. Cor was het type mens dat geluk ondraaglijk leek te vinden. Het glas was bij hem altijd bijna leeg. Hij was geen onvriendelijk persoon, was ook niet extra lastig voor anderen, maar helemaal happy was hij nooit. Op een gegeven moment ging het langzaam maar zeker mis: van pessimistisch naar somber, en van somber naar depressief. Ondanks zijn eenvoudige baan bij een baas die niet erg veeleisend was slaagde hij erin om overwerkt te raken. Hij kwam thuis te zitten. Het enige waar hij nog een beetje aardigheid aan kon beleven, was het volgen van zijn favoriete voetbalclub, FC Twente. Hij wilde verder niets. Hij wilde geen medicijnen van zijn huisarts en ook geen gesprekken met een psycholoog. Niets. Toen, na meer dan drie jaar aanploeteren, riep zijn huisarts dokter Van Zwam te hulp. Deze kwam bij hoge uitzondering op huisbezoek bij Cor en Cora, zijn echtgenote. Hij was onder de indruk

*NB: Alle verhalen in dit boek zijn ontleend aan de werkelijkheid, maar worden zodanig weergegeven dat iedere gelijkenis met bestaande mensen louter op toeval berust

van de zware neerslachtigheid van Cor. Hoe kon het dat deze man totaal tot stilstand was gekomen en hele dagen op de bank zat te kijken naar het speciale FC Twente-kanaal voor de echte sportliefhebber. Hij was minstens zo onder de indruk van Cora. Zij leek het tegenovergestelde van haar man. Hoe meer hij zich in de put liet zakken, hoe krachtiger en opgewekter zij was, zo leek het wel. Bewonderenswaardig hoe zij dag in dag uit de moed erin hield.

Van Zwam sprak zijn patiënt ernstig toe: 'Je hebt er niet om gevraagd om depressief te worden,' zei hij, 'maar je hebt een lieve vrouw en je moet minstens voor haar je best doen om mee te helpen aan je herstel, ook al ben je ervan overtuigd dat je nooit meer beter kan worden.' Na wat 'onderhandelen' sprak hij met Cor af dat deze om te beginnen na ieder doelpunt van zijn club vijf minuten buiten zou gaan wandelen. Dat vond Cor wel grappig en zoveel doelpunten maakte de ploeg nu ook weer niet. Het plannetje lukte, Cor kwam weer een beetje in beweging. Later ging hij na ieder doelpunt tien minuten wandelen en zo verder. Bovendien ging de club steeds beter spelen. Dat had waarschijnlijk niets met de therapie te maken, maar het hielp wel. Van Zwam dacht dat er meer nodig was: dat medicijnen in dit geval pas echt voor een doorbraak zouden zorgen. Maar Cor zag dat niet zitten, hij was een beetje bang voor wat die pillen met hem zouden kunnen doen. Van Zwam sprak af dat hij ze zou gaan slikken als FC Twente landskampioen zou worden. Daar moest Cor opnieuw om lachen: dat zou geweldig zijn, maar het was onmogelijk. Hij nam de uitdaging aan. Toen het landskampioenschap enkele maanden later alsnog binnengehaald werd, kon Van Zwam niet meer stuk. Cor begon aan de antidepressiva en, zoals de oude psychiater al had ingeschat, met succes. Dit type depressie reageerde goed op medicijnen. Een evenwicht in de hersenen werd geleidelijk aan hersteld. De somberheid verdween en Cor leek zelfs beter te worden dan hij tevoren was geweest. Misschien had hij achteraf gezien al jaren rondgelopen met een 'stille' depressie.

Inmiddels zijn we vijf jaar verder en Cor schreef dat het de afgelopen jaren met hem geleidelijk aan nog wat beter was gegaan, dat hij allang weer aan het werk was, dat thuis alles ook goed leek te gaan, maar dat Cora het nu helemaal niet meer 'zag zitten'. Of Van Zwam alsjeblieft nog een keer zou kunnen helpen?

Van Zwam is blij als iemand een beroep op hem doet. Hij bracht zijn oude Saab 96, die hij ooit voor de sloop had behoed en waarvoor hij al jaren geen wegenbelasting meer hoefde te betalen, aan de praat en reed naar het huis van het echtpaar.

Cora heeft haar aanstekelijke vrolijkheid jarenlang in haar werk kwijt gekund. Ze moest producten aanprijzen voor een fabriek die bitterballen, frikandellen en meer van dat soort vette heerlijkheden maakte. Met groot succes trad ze op in allerlei reclamefilmpjes voor de tv. Zo sleepte ze zichzelf en Cor door de moeilijke jaren van zijn depressie. Maar sinds Cor beter, en helemaal niet meer depressief, soms zelfs gezellig was, leek het wel of er bij haar iets geknapt was. De vrolijkheid op haar werk moest ze met steeds meer moeite spelen; ze was niet spontaan meer. Ze kreeg ook concurrentie van andere vrouwen, die haar sympathieke, wat onnozele vrolijkheid probeerden na te doen. Haar baan liep gevaar. Ze kon niet meer genieten. Nu had Cor na jaren weer zin in seks, maar kon zij het niet opbrengen. Ze voelde zich hopeloos, waardeloos. Ze schoot tekort naar iedereen. Zo kende zij zichzelf niet; ze was ten einde raad.

Van Zwam hoorde alles geduldig aan en vertelde toen het verhaal van het weerhuisje. In zijn jeugd had ieder huis een weerhuisje (en een koekoeksklok, maar dat heeft er niets mee te maken). Het weerhuisje is een miniatuurhuisje waar een mannetje en een vrouwtje in wonen. Het mannetje ziet er donker uit, draagt een zwart pak en heeft een paraplu opgestoken. Het vrouwtje is vrolijk gekleed in een frisse zomerjurk – soms heeft ze een parasol. Dat doet denken aan Cor en Cora! In het huisje zit een barometer verstopt die reageert op de luchtdruk. Bij 'neutraal' weer staan man en vrouw naast elkaar in de deuropening. Niets aan de hand. Als er mooi weer op komst is gaat het vrouwtje naar buiten en verdwijnt de man naar binnen. En bij slecht weer is dat natuurlijk andersom.

In de psychiatrie hebben we het over het 'weerhuisjesfenomeen'. Daarmee wordt gedoeld op het verschijnsel dat psychiaters heel vaak meemaken dat twee mensen die hecht met elkaar zijn verbonden, om beurten depressief worden. Als de man ziek is blijft zijn vrouw opgeruimd doen wat nodig is. Maar wanneer de man herstelt komt het vaak voor dat de vrouw aan de beurt is (of omgekeerd). Het is wetenschappelijk moeilijk te verklaren. Depressie is tenslotte geen besmettelijke ziekte. Je zou denken dat ze samen blij zijn dat alles weer in orde is. Maar mogelijk heeft de ziekte van de één haar tol geëist bij de ander, en wordt deze, als reactie op de zware jaren van zorg, op haar beurt depressief. Zoals sommige mensen pas echt een schrikreactie krijgen ná een ongeluk, als het gevaar zelf al geweken is – een reactie die geen nut lijkt te hebben, maar zo werken onze hersenen blijkbaar. Je kunt een schrikreactie kennelijk, net als een depressieve reactie, voor je uit schuiven. Maar vroeg of laat betaal je de prijs.

het weerhuisjesfenomeen

Cora was het vrouwtje uit het weerhuisje. Zij moest op haar beurt geholpen worden. Ze reageerde gelukkig snel en goed op dezelfde medicijnen die Cor net afgebouwd had. Van Zwam kwam nog een paar keer langs, meer voor zijn eigen plezier dan dat het medisch gezien strikt nodig was. Hij constateerde tot zijn genoegen dat het echtpaar samen weer verder kon. En dat hij bij ieder bezoek een lading snacks meekreeg, ach, daar kon hij wel mee leven.

Goede tijden, slechte tijden

Het leven is niet louter rozengeur en maneschijn. Dat is altijd al zo geweest, maar het lijkt of we steeds hogere eisen zijn gaan stellen. 'Een dag niet gelachen is een dag niet geleefd': oké, dat gaat nog. Maar het lijkt wel of iedereen tegenwoordig voortdurend energiek moet zijn – opgewekt en zorgeloos, ín voor van alles en nog wat. Tenminste als we de advertenties moeten geloven. En ongemerkt zijn we die ook steeds meer gaan geloven. Het kan echt niet dat je je tijd verprutst, dat je je verveelt, dat je gewoon een dag de pest in hebt. En als het te vaak voorkomt ga je nog denken dat het aan jóu ligt, dat je iets niet goed doet, dat je niet in orde, ziek, depressief bent.

Dat verklaart ook de enorme populariteit van opwekkende middelen: van gewone koffie en cola tot Red Bull; van oppeppers uit apotheek, drogisterij en kruidenwinkeltje; van alternatieve producten tot echt gevaarlijke drugs. Het gaat om alcohol(!), suiker (!!), cocaïne, speed, XTC en wat er verder nog te koop is op dat gebied. En vergeet de geneesmiddelen niet, de antidepressieve medicijnen (later in dit boek zullen we beschrijven wanneer zij wél heel nuttig zijn). Maar al deze middelen veranderen de werkelijkheid niet. Er blijven goede tijden, maar ook slechte tijden. Een mooie titel voor een soapserie.

Is het normaal om af en toe depressief te zijn?

ieder normaal, gezond mens is op zijn tijd depressief, somber, neerslachtig

Ja, ieder normaal, gezond mens is op zijn tijd depressief, somber, neerslachtig. Dat kan komen door iets wat je meegemaakt hebt: een voorval als een onverwacht lange file (en geen beltegoed meer op je mobiel), waardoor je afspraakje met je geliefde in het water valt. Maar het kan ook iets van lang geleden zijn, iets ingrijpends als een slechte jeugd (met blijvende herinneringen daaraan), of forse tegenslagen op dit moment, zoals gedwongen werkloosheid en financiële zorgen. Het kan in het leven mee- of tegenzitten. Het hangt ook van iemands karakter af hoe hij daarmee omgaat. Het betekent gelukkig nog niet dat er sprake is van ziekte. Nee, ook de sombere buien horen bij het leven. Meestal weet iemand die zich depressief voelt zelf wel waar zijn slechte stemming vandaan komt.

Maar soms begrijpt iemand zichzelf niet, of de personen in zijn omgeving begrijpen hem niet. De somberheid lijkt dan helemaal niet te passen bij de werkelijkheid. Alles is in orde, maar het slachtoffer wil maar niet vrolijk worden. Veel mensen gaan zich dan afvragen of er toch niet iets met ze aan de hand is, of ze niet *ziekelijk* depressief zijn. Soms is een gesprek met een dokter of psycholoog nodig om daar een antwoord op te vinden. Hopelijk helpt het lezen van dit boek om onderscheid te maken tussen gezonde en ongezonde depressie.

Ontevredenheid is geen depressie

Mensen denken soms ten onrechte dat zij depressief zijn. Ze voelen zich somber, slapen onrustig, maken met iedereen ruzie, voelen zich slecht in hun vel zitten en komen bij hun huisarts met alle mogelijke lichamelijke klachten aanzetten – waarop die huisarts dan zegt dat het 'niets' is, dat het 'tussen hun oren' zit of iets in die trant. Als de patiënt maar lang genoeg aanhoudt, geeft de dokter misschien wel een kuurtje met zo'n modern antidepressief middel. Maar als je niet echt depressief bent heb je daar dus niets aan. Het is geen wondermiddel dat alles oplost. Aan de andere kant, veel kwaad kan het ook niet. Als er binnen vier tot zes weken geen verbetering optreedt, zou je ermee moeten stoppen; dan is er niets aan de hand.

als je niet echt depressief bent, heb je niets aan een antidepressief middel

Sommige van die middelen hebben als effect dat alle emoties een beetje worden afgevlakt. De patiënt voelt zich rustiger en denkt dat hij toch een depressie had en dat die nu opknapt. Ook daar is niet veel mis mee: het kan in slechte tijden prettig zijn als heftige gevoelens een beetje worden ingedamd. Wel bestaat het risico dat je niet makkelijk van zo'n middel afkomt, dat je als een slaapwandelaar, als een zombie, door het leven gaat en dat het echte probleem niet wordt aangepakt. Bij nadere beschouwing blijkt vaak dat er bij deze mensen geen sprake is van een ziekelijke depressie, maar eerder van ontevredenheid of onvrede. Er zit hun iets dwars. En dat kan van alles zijn: een relatie-die-niet-naar-wens-verloopt, een baas-die-flauwe-opmerkingen-maakt, buren-die-het-bloed-onder-je-nagels-vandaan-halen, vul maar aan. Onze cultuur is sterk doordrongen van het beginsel dat je niet mag mopperen: 'niet klagen maar dragen'. Je moet de wijste zijn, niets laten merken en je zegeningen tellen. 'Die partner heeft wel enkele onuitstaanbare eigenschappen, maar hij bedoelt het niet zo kwaad'; 'die baas is een ongemanierde lomperik, maar je mag tegenwoordig je handen dichtknijpen dat je werk hebt' en 'die buren zijn weliswaar fors asociaal, maar je laat je door zulke lieden toch niet je eigen huis uitpesten?'

De moraal van dit verhaal is dat er veel bronnen van ergernis en verdriet zijn en dat deze aanleiding kunnen geven tot klachten die verdacht veel weg hebben van een depressie. Soms is er een psychiater of psycholoog voor nodig om de patiënt na grondig onderzoek te vertellen wat er echt aan de hand is. De conclusie kan ongeveer als volgt luiden: 'Het goede nieuws is dat u psychisch gezien volkomen gezond bent, maar het slechte nieuws is dat u desondanks nog net zoveel last hebt van uw problemen.' Eventueel te vervolgen met: 'U moet zich sterker bewust worden van het ontevreden gevoel dat daarvan het gevolg is. En daar moet u dan iets aan gaan doen. Wees zuinig op die innerlijke onvrede, want die vormt een waardevolle krachtbron van waaruit u de noodzakelijke veranderingen in uw leven tot stand kunt gaan brengen. Als u dat niet doet, blíjft u ontevreden en op den duur kunt u er wel degelijk ziek van worden.'

Verdriet en rouw zijn geen depressie

Wie in zijn leven een ernstig verlies lijdt reageert in de eerste plaats met verdriet. Later krijgt dat verdriet geleidelijk aan een plaats. Als het goed is wordt het verdriet niet weggestopt, maar kan men toch de draad van het bestaan weer opnemen. Wij spreken van 'verwerken van het verdriet' en de tijd en de inspanning die daarvoor nodig zijn noemen wij het rouwproces of het rouwkarwei. Verdriet en rouw zijn geen ziekten, maar zaken die nu eenmaal bij het leven horen. Niemand blijft ervan gevrijwaard, al is het zo dat de één veel zwaarder getroffen kan worden dan de ander. Het verlies dat geleden wordt kan het overlijden betreffen van een dierbare: vader, moeder, partner, kind, een familielid, een goede vriend of vriendin.

verdriet en rouw zijn geen ziekten, maar zaken die nu eenmaal bij het leven horen

Maar ook ander verlies kan dramatisch zijn: het verlies van je gezondheid als je aan een slopende ziekte komt te lijden; het verlies van je land als je vluchteling bent; het verlies van je zelfvertrouwen en het respect van anderen als je bijvoorbeeld ontslagen wordt. Het gaat steeds om hevig, langdurend verdriet om iets dat je kwijt bent geraakt en dat heel belangrijk voor je was. Mensen reageren daar heel verschillend op. Wat voor de één heel verdrietig is, raakt de ander misschien veel minder. Maar altijd geldt dat een groot verdriet verwerkt moet worden via een rouwproces – alleen zó kan men op gezonde wijze verder leven.

En nu komen we op het belangrijke punt van verschil tussen rouw en depressie. Rouw maakt deel uit van het normale, gezonde leven, terwijl er bij depressie sprake is van een ziekte. Dit verschil is belangrijk omdat het gevolgen heeft voor de behandeling. Wie in de rouw is, kan wel dezelfde klachten hebben als iemand die depressief is. Wanneer het verlies nog 'vers' is en iedereen zich goed kan voorstellen dat je er last van hebt, is het verschil niet zo'n probleem. Het slachtoffer krijgt als het goed is voldoende hulp en begrip van zijn omgeving. Meestal slijt het verdriet geleidelijk en verdwijnen daarmee de lichamelijke en psychische klachten. Maar het rouwproces kan ook blijven steken of niet goed herkend worden. Soms ligt het met de rouw gecompliceerd: zo kan een dochter aan de ene kant van haar overleden vader houden omdat hij nu eenmaal haar vader is, maar aan de andere kant kwaad op hem zijn omdat hij haar vaak slecht behandeld heeft, in woord of daad. Zij zal dan met gemengde gevoelens op zijn overlijden reageren: naast het normale verdriet mogelijk ook met een gevoel van opluchting, waarover zij zich dan weer schuldig voelt. Het gevolg kan een zogenoemd 'gecompliceerd rouwproces' zijn. Net zoals een chirurg spreekt van een 'gecompliceerde breuk' als een been op meer dan één plaats gebroken is. In de psychiatrie zijn gecompliceerde rouwprocessen berucht, evenals vastlopende (stagnerende) en niet-herkende rouwprocessen. Depressieve klachten kunnen dan het gevolg zijn, waarbij het voor een juiste behandeling nodig is om achter de ware aard van de oorzaak te komen. Het rouwproces moet boven water gehaald en in goede banen geleid worden. Soms kunnen antidepressieve medicijnen hierbij een ondersteunende rol spelen, maar wel op een andere manier dan bij een 'gewone' depressie.

gecompliceerd rouwproces

Het verhaal van Liesje – het recht om ongelukkig te zijn

Liesje Verwey (vierentwintig jaar) had niet overdreven veel meegekregen van Onze-Lieve-Heer: matige ouders, matig verstand, matige schoonheid, matige vriendjes (die ze op een gegeven moment had ingewisseld voor één boezemvriendin, Natasja). Maar Hij had haar wel gezegend met een groot hart en met gouden vingers. Dat wil zeggen: ze knipte en kapte dat het een lust was. Van overal uit de stad kwamen mensen hun haar laten doen in haar kapsalon en iedereen ging verrukt naar huis – ze creëerde ware schoonheid uit de meest verlepte haardos. Nu ja, háár kapsalon. Ze werkte bij een baas, die haar genadiglijk als leerling had geaccepteerd toen ze nog op de kappersschool zat. Nu kon hij het eigenlijk niet uitstaan dat Liesje de ster van zijn show was geworden. Maar haar laten gaan, dat zou een economische ramp betekenen. Gelukkig wist hij zijn innerlijke frustratie om te buigen tot een frisse haat-liefderelatie met zijn sterkapster. Op zekere dag vertelde Liesje iets merkwaardigs aan haar huisarts, bij wie ze regelmatig langsging om haar hart uit te storten – eigenlijk sinds de dood van vader, enkele jaren geleden. Ze vertelde dat ze stemmetjes hoorde die voortdurend commentaar gaven op alles wat ze deed. En die stemmetjes waren niet mild in hun oordeel; ze kreeg er flink van langs. Haar huisarts schrok: stemmetjes, dat was toch iets ergs, een psychose? En hij vond

Liesje ook wel somber, over haar toeren. Daar moest professioneel worden ingegrepen en hij dacht aan zijn oude vriend Van Zwam. Psychiater in ruste die er voor zijn plezier nog een kleine eigen praktijk op nahield.

Van Zwam had een aantal lange gesprekken met Liesje en daarbij liet ze er geen twijfel aan bestaan wie in die gesprekken de baas was. Ze wilde haar verhaal kwijt en Van Zwam moest luisteren tot zijn oren ervan tuitten. Hij liet haar maar begaan, had ook geen keus en kwam zo heel wat te weten. Zeker toen hij na verloop van tijd wat aanvullende vragen kon stellen, waarmee hij haar gedachtegang geleidelijk in meer gewenste banen kon sturen. Zo werkt een oude, doorgewinterde psychiater. Onder het mom van alleen maar luisteren begint het manipuleren en voor je het weet denkt de patiënt al lang niet meer wat hij denkt – of dacht te denken (dit alles in het belang van de patiënt natuurlijk!).

Uit de woordenstroom van Liesje werden geleidelijk een aantal zaken duidelijk. Ze was haar houvast kwijtgeraakt toen vier jaar geleden haar vader na een kort ziekbed, veel te jong, overleed (1). Ze deelde het verdriet met haar moeder en haar oudere broer, maar voor niemand was vader zo speciaal geweest als voor Liesje. Intussen, na heel wat onbevredigende vriendjes, was zij tot over haar oren verliefd geworden op Natasja (2). Een zelfverzekerde schoonheid die alles leek te hebben wat zij niet had. Het klikte zo goed dat de twee al snel besloten om samen verder te gaan. Alleen kon Liesje haar moeder niet zo snel na het overlijden van vader in de steek laten (3). Natasja woonde ook nog bij haar ouders. Die stonden uiterst liberaal tegenover haar lesbische geaardheid, maar als Liesje bleef slapen kwam de moeder van Natasja om de haverklap op hun slaapkamertje 'gedienstig' vragen of ze nog iets nodig hadden. Terwijl de vader zich beperkte tot vreemde, wazige blikken die hij het tweetal toewierp. Het werkte op hun zenuwen (4). Gelukkig konden ze binnenkort gaan samenwonen in het huis van de broer van Liesje. Maar die had niet zo'n haast. Zijn huis zou voor een zacht prijsje te koop komen zodra hij zelf een ander huis had gevonden. Mooie beloftes, maar het was volstrekt onduidelijk wanneer en of het er van zou komen (5).

Dan de baas van Liesje. Telkens 'knetterde' het in de salon, waarna de baas zich nijdig terugtrok en Liesje zich met een huilgezicht door het haar van die dag heen werkte: stress in optima forma (6). Liesje had haar trouwste klanten al toegefluisterd dat zij binnenkort zelfstandig zou gaan werken, in haar eigen salon, maar eerst nog als thuiskapster. En velen zeiden direct dat ze met haar mee zouden gaan. Alleen moest ze, om het huis van haar broer te kunnen kopen, de bank zekerheid bieden – de zekerheid van haar vaste baan en die kon ze dus niet opzeggen voor de koop rond zou zijn (7).

De druppel die de emmer deed overlopen was Johan: moeder had zomaar een nieuwe vriend. Hoe kon ze dat nu doen, vader was nog maar net dood. Hoe kon ze nou denken dat ene Johan zijn plaats kon innemen? Natuurlijk deed Liesje haar best om redelijk te zijn; haar moeder mocht haar eigen beslissingen nemen en had ook recht op een beetje geluk. En Johan deed ook zijn best. Ieder weekend kwam hij eten, zei aardige dingen tegen Liesje en nam telkens een cadeautje mee – tot ze ook daar gek van werd (8). Nu was ze nergens meer veilig, niet bij moeder, niet bij Natasja, niet op haar werk. Ze sliep er niet van, maar lag urenlang te piekeren over de warboel van onoplosbare problemen waar ze niet 'overheen kon kijken'. Het zou allemaal wel goed komen, ooit, maar niemand wist wanneer en het lag volstrekt buiten haar controle. In deze periode waren de stemmetjes gekomen: voor het eerst toen Johan vriendelijk had gevraagd of ze samen met moeder en hem feestelijk uit eten wilde om te vieren dat het tussen hen zo goed ging. Ze accepteerde, maar de stemmetjes begonnen haar te vertellen dat ze niet deugde, dat ze alles fout deed, dat alles zou mislopen en dat dat háár schuld was.

Hoe het verder ging met Liesje, de psychiater aan zet

Van Zwam vond dat hij genoeg gehoord had: tijd voor een diagnose en een behandelplan. Was Liesje depressief? Er waren met een beetje zoeken ongetwijfeld voldoende kenmerken te vinden om de diagnose 'depressie' te stellen. Maar de somberheid leek ook goed te passen bij het normale rouwproces om de vader, met daarbij een voorstelbare reactie op een kluwen van emotioneel gecompliceerde situaties, waar het oplossend vermogen van Liesje (en de mensen om haar heen) tekortschoot. Gevolg: symptomen van emotionele overbelasting. Tot die categorie rekende hij ook de stemmetjes. Ze pasten bij de stemming en stonden in direct verband tot concrete situaties waarin Liesje zich klemgezet voelde. Opvallend was dat haar ontboezemingen, haar 'spuien', steeds vaker onderbroken door subtiel commentaar van Van Zwam, tot direct gevolg hadden dat de stemmetjes zich veel minder lieten horen.

Het commentaar van de psychiater was allereerst gericht op ontwarring van de verschillende problemen, op structuur aanbrengen. Daarbij was in de korte samenvattingen die hij maakte en in de vragen die hij ter verduidelijking stelde, steeds meer een ondertoon van 'positieve bekrachtiging' te horen, alsof hij onvoorwaardelijk geloofde in haar goede trouw, haar gezonde verstand en vooral, in haar vermogen om uiteindelijk zelf alles op orde te kunnen brengen. Dat deed hij niet bewust: dat was in de loop der jaren zijn manier van werken geworden. Hij vond trouwens ook echt dat Liesje deugde. Haar naïviteit, zelfs haar gebrek aan intellectuele diepgang, haar verlangen naar autonomie tegen de klippen op, ook tijdens hun gesprekken, vertederden hem meer dan dat ze hem irriteerden. Met een zetje in de goede richting zou ze er wel komen was het devies; het was vooral zaak niet onnodig te 'psychiatriseren'. Wie zou in haar omstandigheden geen psychische klachten ontwikkelen? Maar wat moest zijn rol en zijn behandelstrategie dan zijn, want met zich laten betalen voor alleen maar luisteren had hij moeite.

Aan het eind van het vierde of vijfde gesprek nam hij de tijd voor een uitvoerige samenvatting, waarin hij probleem 1 tot en met 8 nog eens noemde. En hij vroeg zich hardop af wat hij als professional verder nog voor haar kon doen. Hij noemde de mogelijkheid van psychotherapie. Daarvoor zou hij haar kunnen verwijzen naar een echte psychotherapeut (want zelf doorgaan met lange luistergesprekken, daar zag hij tegenop, maar dat zei hij niet hardop natuurlijk). Of hij zou haar een geneesmiddel kunnen voorschrijven, dat de emoties enigszins in goede banen zou leiden en het piekeren wat zou verminderen, waardoor haar psychisch welzijn zou verbeteren zonder dat hij haar overigens als een echte patiënt zou willen beschouwen (dat voelde aan als glad ijs; hij zei het wel maar zonder veel overtuiging). Hij vroeg of ze daarover wilde nadenken; ze zouden er de volgende keer op terugkomen.

Er kwam geen volgende keer. Liesje gaf blijk van haar zelfstandigheid en sprak op het antwoordapparaat de boodschap in dat zij er de voorkeur aan gaf om het zelf verder uit te zoeken, zonder hulp. En enige maanden later hoorde hij van een klant van Liesje dat zij het kennelijk goed maakte.

Commentaar op het verhaal van Liesje

Iedere dokter legt aan het eind van zijn studie de eed van Hippocrates af. Daarin staat dat hij steeds zijn best zal doen om zijn patiënten zo goed mogelijk te helpen. Vanzelfsprekend. Maar er staat ook dat een medicus moet uitkijken om in twijfelgevallen niet iets te doen waarmee hij de patiënt kan schaden. Van Zwam had dit voor ogen bij zijn aarzeling en weerzin om Liesje aan een psychiatrische behandeling te onderwerpen. Maar nu was hij haar helemaal kwijt. Was dat wel verantwoord? Zou hij in hun gesprekken genoeg munitie aangedragen hebben om haar net iets sterker in haar strijd te laten staan? En zou ze zich opnieuw melden als het tegenviel, als ze echt psychisch ziek zou worden? Of moest hij er maar op vertrouwen dat mensen niet alleen hun gebreken en problemen hebben, maar ook hun oplossingen?

Depressie als ziekte: een psychiatrische stoornis

Wat is dat nu weer: een psychiatrische stoornis? Dat lijkt moeilijker dan het is. Eerst het woord 'stoornis', dat wil zeggen dat er iets niet in orde is. Er is een storing, iets is gestoord of verstoord. Een storing in de elektriciteitsvoorziening betekent dat een hele wijk of stad in het donker zit. Een storing in een zendmast betekent dat je geen tv kunt kijken. In de medische wereld zegt men liever 'stoornis' (bijvoorbeeld 'slaapstoornis') dan gewoon 'storing'. Niets van aantrekken. Op gezondheidsgebied kan er van alles gestoord raken: gestoorde leverfuncties, gestoorde bloedsomloop. En zo kan ook onze stemming gestoord raken: een 'stemmingsstoornis' heet dat dan. Daarmee bedoelen we dat de stemming niet meer 'klopt', niet meer past bij wat er feitelijk aan de hand is. Het vermogen om de juiste stemming op het juiste moment te ervaren is gestoord. De stemming kan te uitgelaten, te vrolijk zijn ('hypomanie') of te negatief, te somber ('depressie'). Stemmingsstoornissen worden gerekend tot het werkgebied van de psychiatrie, zodat wij de ziekte depressie kunnen beschouwen als een psychiatrische stoornis van de stemming.

stemmingsstoornis: de stemming klopt niet meer, past niet bij wat er feitelijk aan de hand is

Vraag: *Misschien ben ik wel depressief, maar ik vind het zo verwarrend. Tot wie moet ik me wenden voor hulp? Kom ik bij een psychiater of een psycholoog terecht? Hoe is dat geregeld?*

Antwoord: In ons land gaat iedereen in eerste instantie naar de huisarts, wat de klacht ook is. Een huisarts is breed opgeleid. Hij weet overal wel wat van af en vaak is dat voldoende om het zelf aan te pakken of om in te schatten hoe erg het met de patiënt is gesteld. Hij of zij bepaalt of je er gewoon mee kunt doorlopen of dat je naar een specialist moet. Depressies worden in tachtig procent van de gevallen door de huisarts zelf behandeld, meestal met medicijnen (antidepressiva) en met verstandige adviezen (ga wat beter op je gewicht letten, ga meer bewegen, neem wat meer rust, zoek vrijwilligerswerk, ga er eens tussenuit). Meestal wordt een redelijk goed resultaat geboekt. Maar in twintig procent van de gevallen niet.

De huisarts is 'de voordeur' van de gezondheidszorg: de *eerste lijn* noemen we dat. En binnen die eerstelijnszorg zit bijvoorbeeld ook het maatschappelijk werk, de fysiotherapeut, de diëtist en – het woord zegt het al – de eerstelijnspsycholoog. Al die instellingen en de mensen die er werken kunnen van nut zijn. Maar wanneer er meer nodig is, verwijst de huisarts naar de *tweede lijn*.

*met ambulant wordt bedoeld
dat de patiënt niet wordt
opgenomen*

*het verschil tussen een
psychiater en een psycholoog*

Dat heet officieel de *ambulante zorg* van de ggz. Ggz staat voor 'geestelijke gezondheidszorg' en met 'ambulant' wordt bedoeld dat de patiënt niet wordt opgenomen. 'Ambulant' komt uit het Latijn en betekent letterlijk 'wandelend'. En wandelende mensen komen dus niet in het ziekenhuis te liggen. Dat gebeurt pas wanneer de tweedelijnsvakman of -vakvrouw er met een ambulante aanpak niet uitkomt en een opname regelt. En u begrijpt het al: de ziekenhuizen waar patiënten vanwege psychische klachten worden opgenomen, vormen de *derde lijn*. Meer 'lijnen' hebben we niet, het blijft bij deze drie. (Er zijn overigens op een beperkt aantal plaatsen in het land supergespecialiseerde inrichtingen waar ze met een bijzondere aanpak nog mensen kunnen helpen die in een gewoon ziekenhuis niet tot hun recht komen. Dat zou eigenlijk 'de vierde lijn' mogen heten, maar dat zegt niemand.)

En wat is nu precies een psychiater? Veel mensen denken dat hij hetzelfde werk doet als een psycholoog. Maar dat is niet helemaal waar. Beide beroepen kunnen met zieke mensen te maken hebben. Maar alleen de psychiater is arts: hij of zij heeft eerst zijn/haar artsendiploma gehaald en is zich later gaan specialiseren in de psychiatrie (een 'medisch specialist'), zoals andere artsen zich specialiseren tot longarts, chirurg, internist enzovoort. Een dokter stelt vooral vast of iemand ziek is, de klanten heten 'patiënten' (en niet 'cliënten' of 'klanten') en hij mag medicijnen voorschrijven. Omdat iedere specialist eerst algemeen arts is geweest, kan hij meestal ook goed meepraten over de klachten op andere gebieden die een patiënt heeft.

Psychologen kunnen zich na een basisopleiding in verschillende richtingen verder ontwikkelen. Sommigen worden eerstelijnspsycholoog (en werken dan veelal samen met de huisarts), anderen doen psychologisch onderzoek (onderzoekspsycholoog of testpsycholoog) of ontwikkelen zich tot ggz-psycholoog (het woord zegt het al, zij blijven werken in de ggz) of tot psychotherapeut (psychotherapie is de niet-lichamelijke behandeling van psychische stoornissen).

Psychologen en psychiaters werken op veel plaatsen goed samen binnen een team, waarvan bijvoorbeeld ook verpleegkundigen (met een voortgezette opleiding) deel uitmaken. Deze laatsten noemen zich SPV (sociaal-psychiatrisch verpleegkundige) of verpleegkundig specialist. De overkoepelende naam voor dit soort professionals is 'hulpverlener' of 'behandelaar' of 'therapeut'. We kennen in de psychiatrie ook de B-verpleegkundige. Dat is een verpleegkundige die speciaal is opgeleid voor de psychiatrie en meestal in een ziekenhuis werkt.

Tot slot, bedenk dat al die vakmensen één ding gemeen hebben. Het zijn allemaal mensen. Niets aan te doen. Wat voor opleiding ze ook hebben, wat voor kennis en ervaring ze ook bezitten, je mag ervan uitgaan dat iedereen zijn best doet. Maar het blijft mensenwerk. En voor een goede behandeling heb je twee partijen nodig. De behandelaars kunnen niet zonder de hulp van de patiënt. Samenwerken is geboden voor het beste resultaat.

Terug naar de depressie. Kort gezegd komt het erop neer dat wij iemand met een sombere stemming ziek gaan noemen, wanneer:

- de somberheid voldoende ernstig is wat betreft effecten en duur;
- de omstandigheden van de patiënt geen aanleiding geven om de somberheid afdoende te verklaren (geen rouwproces, geen onverwacht ontslag, geen moeizame relatie of andere beroerde omstandigheden). Met andere woorden: de mate van somberheid staat niet in verhouding tot de feitelijke situatie waarin de patiënt zich bevindt – noch volgens zijn eigen idee, noch volgens dat van een objectieve waarnemer, zoals de dokter die hem onderzoekt;
- de sombere klachten gepaard gaan met een aantal andere klachten (vaak van lichamelijke aard). Bedenk dat het vroeger gemaakte onderscheid tussen lichaam en geest achterhaald is, zodat het ons niet hoeft te verbazen dat een depressieve aandoening zich vooral in de vorm van lichamelijke klachten kan aandienen.

Een belangrijke vraag is waar de grens te trekken valt tussen een langdurige sombere stemming en een ziekte. De gewone, 'gezonde' somberheid lijkt op het eerste gezicht naadloos over te gaan in de ziekte depressie. Na langdurig en uitvoerig internationaal beraad is er een lijst met kenmerken (criteria) van depressie vastgesteld, met afspraken aan welke voorwaarden een patiënt minimaal moet voldoen om de diagnose 'depressie' te krijgen. Op deze manier is de medische wetenschap in staat om een onderscheid tussen gezonde en ongezonde depressie te maken, dat overal ter wereld hetzelfde is. Dat is belangrijk omdat we dan resultaten van onderzoek uit verschillende landen kunnen vergelijken: onderzoek naar het aantal depressiegevallen per land en per bevolkingsgroep, maar ook onderzoek naar effectieve manieren van behandeling.

de grens tussen een langdurige sombere stemming en een ziekte

Het meest bekende internationale diagnostische systeem is de DSM, een Amerikaanse afkorting van *Diagnostic and Statistical Manual (of Mental Disorders)*. Ter illustratie wordt op blz. 32-33 de lijst met depressiecriteria afgedrukt, zoals deze voorkomt in de meest recente (Nederlandstalige) versie van de DSM. Het systeem is opgestart rond 1950 en wanneer er voldoende nieuwe kennis uit onderzoek bij is gekomen, wordt er een nieuwe editie gemaakt. We werken nu met de vierde (uit 1994 en aangevuld in 2000), die DSM-IV wordt genoemd; rond 2012 wordt de vijfde versie verwacht.

Hieronder volgt de officiële tekst van de DSM. Opmerking vooraf: de DSM heeft het over een 'episode'. Dat is een mooi woord voor 'periode'. Het gaat om een periode in een mensenleven waarin depressie aanwezig is. Soms blijft het bij een eenmalige episode die in de regel beperkt van tijdsduur is. Gemiddeld is de duur tussen twee maanden en twee jaar. Soms gaat het om een blijvende toestand, die langer dan twee jaar aanhoudt; dat noemen we 'chronisch'. Vaak hebben we te maken met afwisselende depressieve episodes, waarbij de patiënt zich tussen de episodes in redelijk gezond voelt.

Er wordt verder gebruik gemaakt van de letters A tot en met E. A is het belangrijkste voor de diagnose. Hierin worden negen verschillende kenmerken (criteria, symptomen of klachten) genoemd, waarvan een patiënt er minimaal vijf moet hebben. En bij die vijf moet ofwel het eerste ofwel het tweede kenmerk zitten (of allebei natuurlijk). Later zullen we de verschillende kenmerken stuk voor stuk behandelen.

om van een depressieve episode te mogen spreken, moeten de klachten minimaal twee weken aanhoudend hebben bestaan

Om van een depressieve episode te mogen spreken, moeten de klachten minimaal twee weken aanhoudend hebben bestaan. En de klachten moeten zo ernstig zijn, dat de patiënt er echt onder gebukt gaat ('significant lijden'). Hij heeft er veel last van ('lijdensdruk' heet dat met een mooi oud woord) en komt niet toe aan zijn gewone dagelijkse bezigheden: zijn werk, de zorg voor de kinderen of de partner en dergelijke. Dit alles wordt met punt C bedoeld.

In het DSM-systeem wordt er alles aan gedaan om te voorkomen dat de verkeerde diagnose wordt gesteld: wanneer de patiënt bijvoorbeeld wel aan de criteria voldoet, maar er eigenlijk iets anders aan de hand is. Daarvoor staan onder de letters B, D en E zogenoemde 'uitsluitingsvoorwaarden'.

Bij B wil men uitsluiten dat er een ander soort stemmingsstoornis in het spel is. Soms is de stemming namelijk in twee richtingen gestoord. Meestal opeenvolgend in de tijd, maar soms ook tegelijkertijd; dat wordt 'gemengde episode' genoemd. Naast perioden van ziekelijke somberheid komen er ook perioden voor waarin de patiënt overdreven positief is gestemd, wat dan vergezeld gaat van chaotisch opgewonden gedrag ('manisch' of 'maniform' genoemd), soms met waandenkbeelden ('psychose'). Deze stemmingsstoornis heeft verschillende namen gekregen: 'bipolaire depressie', manische depressiviteit, manisch-depressieve stoornis / ziekte / psychose of manisch syndroom. Het ziektebeeld vertoont zoveel afwijkende kenmerken en vergt zo'n andere aanpak, dat het niet dienstig is om deze stemmingsstoornis samen met de 'gewone' depressie in dit boek te beschrijven. Daar komt bij dat beide stemmingsstoornis-varianten slechts zelden in elkaar overgaan. Wel begint een bipolaire stoornis vaak met 'alleen maar' depressieve episodes. De onderzoeker of behandelaar houdt de mogelijkheid wel steeds in zijn achterhoofd. Pas na verloop van tijd wordt duidelijk dat het niet om bipolariteit gaat, dat er geen manische episodes zijn of nog komen, en dan gaat de gewone depressiebehandeling verder. Als het goed is merk je hier als patiënt niets van. Voor meer informatie verwijzen wij naar een ander deel in de serie Spreekuur Thuis, met de veelzeggende titel *Als je geest een vuurpijl is.*

Bij punt D gaat het om depressies die vrijwel geheel en al zijn toe te schrijven aan het gebruik (misbruik) van drugs. Ook sommige medicijnen tegen andere ziekten kunnen als bijwerking hebben dat de patiënt somber wordt. Of een andere ziekte ('somatische aandoening') kan zelf rechtstreeks het depressieve gevoel teweegbrengen (voorbeeld: hypothyreoïdie, een ziekte van de schildklier). Daarom is voor de diagnose vaak een dokter nodig, die eventuele andere oorzaken tracht te achterhalen, want in dat geval is er natuurlijk een heel ander soort behandeling nodig.

depressies die zijn toe te schrijven aan het gebruik van drugs, medicijnen of een ziekte

Tot slot punt E. Daarover hebben we het al eerder gehad in dit boek. Een rouwproces is geen depressie. De rouw kan wel 'ontsporen' en overgaan in een echte depressie. Hier wordt voor een normale rouwperiode overigens een grens van twee maanden gesteld, maar in de praktijk duurt rouw dikwijls (heel) veel langer.

Nu de officiële, letterlijke tekst van DSM-IV, die door iedere professional in ons land (eigenlijk in de hele wereld) gebruikt wordt om bij u de diagnose te stellen. Schrik niet van moeilijke woorden. Deze worden in het vervolg behandeld ('De negen kenmerken van depressie, toelichting') of u kunt ze opzoeken in de lijst achter in het boek: GEBRUIKTE TERMEN.

De negen kenmerken van depressie – toelichting

(1) Depressieve stemming

De stemming is duidelijk verlaagd, waarbij matige tot ernstige bedroefdheid, somberheid, pessimisme en gebrek aan zelfvertrouwen overheersen. En dat duurt al minstens twee weken achter elkaar, voortdurend of bijna voortdurend. Dus niet zomaar een 'dipje' of een slechte bui. Niet iedereen met dit kenmerk geeft spontaan aan waar hij last van heeft. Bij navraag komen eerder vergelijkende omschrijvingen naar voren, zoals: 'ik voel me de laatste tijd zo gedrukt / mat / down / neerslachtig of rot', of 'ik zit in de put'. De stemming kan bij een depressie dalen tot peilloze diepte. Alles wordt negatief ervaren. De patiënt 'ziet er geen gat meer in'. Soms zijn er huilbuien, maar meestal heeft men alleen maar het gevoel dat men moet huilen. En áls de patiënt dan huilt, wordt dat niet als opluchting ervaren.

Soms wordt de slechte stemming ontkend, uit valse schaamte of omdat de patiënt het zelf niet door heeft, maar valt het zijn of

Nederlandse versie van DSM-IV-criteria voor een depressieve episode
(Engels: *Major Depressive Episode*)

A.   Vijf (of meer) van de volgende symptomen zijn binnen dezelfde peri-
     ode van twee weken aanwezig geweest en wijzen op een verandering
     ten opzichte van het eerdere functioneren; ten minste één van de
     symptomen is ofwel (1) depressieve stemming, ofwel (2) verlies van
     interesse of plezier. Onder B, C en D staan 'uitsluitingsvoorwaarden'.
     Als een patiënt aan één van deze criteria voldoet, is er geen echte
     depressie in het spel. Ten slotte is belangrijk wat onder punt C staat.
     Namelijk dat de klachten van de patiënt hem of haar heel erg in de
     weg moeten zitten en beperken in het normale leven.
     NB: Sluit symptomen uit die duidelijk het gevolg zijn van een somati-
     sche aandoening, of stemmingsincongruente wanen of hallucinaties.

(1) Depressieve stemming gedurende het grootste deel van de dag, bijna
     elke dag, zoals blijkt uit ofwel subjectieve mededelingen (bijvoorbeeld
     'voelt zich verdrietig of leeg') ofwel observatie door anderen (bijvoor-
     beeld 'lijkt betraand');
     NB: Kan bij kinderen of adolescenten ook prikkelbare stemming zijn.
(2) Duidelijke vermindering van interesse of plezier in alle of bijna alle ac-
     tiviteiten gedurende het grootste deel van de dag, bijna elke dag (zoals
     blijkt uit subjectieve mededelingen of uit observatie door anderen);
(3) Duidelijke gewichtsvermindering zonder dat dieet gehouden wordt
     of gewichtstoeneming (bijvoorbeeld meer dan vijf procent van het
     lichaamsgewicht in één maand), of bijna elke dag afgenomen of toege-
     nomen eetlust;
     NB: Bij kinderen moet gedacht worden aan het niet bereiken van de te
     verwachten gewichtstoeneming;
(4) Insomnia of hypersomnia, bijna elke dag;
(5) Psychomotorische agitatie of remming (waarneembaar door anderen,
     en niet alleen maar een subjectief gevoel van rusteloosheid of ver-
     traagdheid), bijna elke dag;
(6) Moeheid of verlies van energie, bijna elke dag;
(7) Gevoelens (die waanachtig kunnen zijn) van waardeloosheid of buiten-
     sporige of onterechte schuldgevoelens (niet alleen maar zelfverwijten
     of schuldgevoel over het ziek zijn), bijna elke dag;
(8) Verminderd vermogen tot nadenken of concentratie of besluiteloosheid
     (ofwel subjectief vermeld ofwel geobserveerd door anderen), bijna
     elke dag;
(9) Terugkerende gedachten aan de dood (niet alleen de vrees dood
     te gaan), terugkerende suïcidegedachten zonder dat er specifieke
     plannen gemaakt zijn, of een suïcidepoging of een specifiek plan om
     suïcide te plegen.

B.   De symptomen voldoen niet aan de criteria voor een 'gemengde episode'.

C.   De symptomen veroorzaken in significante mate lijden of beperkingen in het sociaal of beroepsmatig functioneren of het functioneren op andere belangrijke terreinen.

D.   De symptomen zijn niet het gevolg van de directe fysiologische effecten van een middel (bijvoorbeeld drug, geneesmiddel) of een somatische aandoening (bijvoorbeeld hypothyreoïdie).

E.   De symptomen zijn niet eerder toe te schrijven aan een rouwproces, dat wil zeggen na het verlies van een dierbaar persoon zijn de symptomen langer dan twee maanden aanwezig of zijn zij gekarakteriseerd door duidelijke functionele beperkingen, ziekelijke preoccupatie met gevoelens van waardeloosheid, suïcidegedachten, psychotische symptomen of psychomotorische remming.

haar omgeving op dat er wat er aan de hand is. Wat vaak opvalt is dat een ziekte als depressie het eerst duidelijk is voor de mensen om de patiënt heen, die in een later stadium ook als eersten merken dat het weer beter gaat. Het is daarom zinvol als er bij bezoek van het spreekuur regelmatig iemand mee gaat.

(2) Vermindering van interesse en plezier
Kenmerkend voor een depressie is, zoals gezegd, dat de patiënt nergens meer plezier aan kan beleven. Hij kan niet meer genieten van dingen waar hij voorheen juist wel plezier in had. Klaverjassen in het voorbeeld van 'Boer' van Klaveren. Voor anderen is dat een fikse strandwandeling, een mooi breiwerk, je eigen kinderen of kleinkinderen. Hij ziet het wel, maar het gevoel dat erbij hoort is als het ware weg of dood. De patiënt is dan ook bang dat hij geen gevoel meer heeft. Dit wordt als afschuwelijk ervaren en is bovendien voor de omgeving heel moeilijk te begrijpen. En wat het nog erger maakt is dat men niet meer gelooft dat het gevoel ooit nog terug zal komen.

Dit gevoel van vervreemding kan de vorm aannemen van iets wat wij in de psychiatrie 'depersonalisatie' noemen. Je beleeft het leven als een film. Iedereen kan het af en toe meemaken. Iemand die heel lang autorijdt op de grote weg kan zomaar het idee krijgen dat hij niet zelf rijdt, maar dat hij naar een film kijkt van een auto die eindeloos over een weg rijdt. Hopelijk zal hij op tijd remmen als er een obstakel komt en niet afwachten hoe zijn film dit voor hem 'oplost'. Een bekend experiment is ook om

gevoel van vervreemding kan de vorm aannemen van depersonalisatie iemand lang in de spiegel naar zijn eigen gezicht te laten kijken. Na verloop van tijd wordt het een vreemde gewaarwording, alsof wat je ziet en het gevoel dat je dat zelf bent 'uit elkaar worden getrokken'.

Dit verschijnsel van depersonalisatie komt vaker voor bij depressie (en ook bij een aantal andere psychische stoornissen). Bij depressie zien we het als een soort zelfbescherming. Er wordt een doorzichtig maar ondoordringbaar scherm gezet tussen wat je ziet en meemaakt, en wat je daarbij voelt. Een bescherming tegen de sombere gevoelens die de werkelijkheid je bezorgt. Het grote nadeel is dat het scherm ook de mooie, positieve gevoelens bij je weghoudt. Daarom kun je van dingen die je altijd met plezier gedaan hebt ook niet meer genieten.

Niet meer kunnen genieten gaat hand in hand met verlies van interesse. Het lijkt of je nergens meer belangstelling voor hebt – ook niet voor alledaagse dingen zoals werk en hobby's, dingen die je vroeger graag deed. Contact met vrienden en familie hoeft ook niet meer zo nodig: geen interesse, geen zin, geen plezier.

(3) Verandering in eetlust en gewicht

veel meer of veel minder eten

In de meeste gevallen is er bij een depressie sprake van een verminderde eetlust. Minder trek, minder honger, minder plezier in het eten. Dat kan soms zo erg zijn dat je van eten walgt. 'Ik krijg geen hap door mijn keel' en 'Ik eet alleen omdat het moet, maar het smaakt me helemaal niet' zijn veelgehoorde opmerkingen. Soms vallen mensen flink af. Voor de meeste mensen kan dat tegenwoordig geen kwaad, maar je kunt ook ongezond mager worden en minder weerstand overhouden, waardoor de ziekte alleen maar erger wordt. Dit gevaar speelt vooral bij oude mensen die om andere redenen toch al verzwakt of ziekelijk waren.

Net als bij het slaappatroon kan bij depressieve mensen het eetpatroon juist de andere kant op gaan: ze gaan meer eten en snoepen, tot aan vreetbuien toe. Het lijkt alsof zij de leegte in hun binnenste, die ontstaan is doordat hun gevoel is verdwenen, willen opvullen met voedsel. Let op: sommige antidepressieve medicijnen werken deze eetlustverhoging in de hand. Dan is het dus niet de depressie die je onbedwingbaar laat eten, maar de bijwerking van de pillen. Advies: goed overleggen met de dokter en als het even kan veranderen van medicijn.

(4) Insomnia (= slapeloosheid) of hypersomnia (= juist te veel slapen)

problemen met inslapen en/of doorslapen

Het merendeel van de mensen met een depressie klaagt over een 'slechte' slaap. Allereerst levert het inslapen problemen op: het kan uren duren voordat je in slaap valt ('inslaapstoornis'). En als je dan uiteindelijk slaapt, word je vaak al na een of twee uren weer wakker. Soms slaap je dan weer in om na een uur opnieuw wakker te worden. De slaap wordt op deze manier dus regelmatig onderbroken, wat als zeer onrustig ervaren wordt. Je kan zelfs de indruk hebben dat je de hele nacht geen oog hebt dichtgedaan ('doorslaapstoornis'). Uiteindelijk word je 's morgens (te) vroeg, om een uur of vier, vijf wakker, zonder opnieuw in te kunnen slapen. Dan ben je meestal klaarwakker, zonder je goed uitgerust te voelen. Integendeel.

Depressieve patiënten kunnen 's morgens niet op gang komen omdat ze zo verschrikkelijk opzien tegen elke nieuwe dag. Vaak voelen ze zich 's morgens het allerellendigst, 'alsof ze door een tram zijn overreden'. Als ze toch eenmaal op gang gekomen zijn, voelen ze zich in de loop van de dag wel wat beter. Soms klaart hun stemming opvallend op tegen de avond. Dat heet in vaktaal 'dagschommeling'. Het komt ook voor dat je je 's avonds juist slechter voelt dan 's morgens. Dat is eigenlijk normaler en heeft meestal meer met vermoeiend werk overdag te maken dan met de depressie. Maar als het los daarvan steeds in hetzelfde ritme terugkomt noemen we het een 'omgekeerde dagschommeling'.

Het hoeft geen verbazing te wekken dat depressieve mensen uiteindelijk vaak naar de huisarts gaan voor een slaapmiddel. Ik hoop dat uw huisarts daar niet te gemakkelijk in meegaat, maar dóórvraagt. Want een slaapmiddel verandert helaas niets aan een depressie. Niet iedereen met een depressie heeft overigens last van slapeloosheid. Bij tien tot twintig procent van de patiënten is er juist sprake van een overmatige slaapbehoefte. Zij slapen tien tot veertien uur per etmaal in plaats van acht (de gemiddelde slaapbehoefte van een volwassene is 7,5 uur per nacht – zonder extra middagdutjes of hazenslaapjes!). Het verraderlijke is dat te lang slapen dezelfde klachten geeft als te kort slapen: hoofdpijn, irritatie, vermoeidheid (!), zodat iemand die te lang slaapt ten onrechte het idee heeft dat hij eigenlijk nog langer zou moeten slapen.

een slaapmiddel verandert niets aan een depressie

Kort samengevat: een verandering in het slaappatroon is een verdacht kenmerk van een depressie. Let vooral op slecht inslapen, slecht doorslapen, te vroeg wakker worden, de 'dagschommeling' en overmatig slapen.

(5) Psychomotorische agitatie of remming

'Agitatie' betekent gewoon 'opwinding', 'onrust', het tegenovergestelde van 'remming'. 'Psychomotorisch' wil zeggen dat het gaat om beweging (motorisch) – in gedrag en in denken – ten gevolge van iets in de geest (psycho). Remming komt het meeste voor. Bij veel depressieve patiënten gaat het spreken, denken en bewegen trager, langzamer. Als deze remming erg opvallend is, spreken we van een 'geremde depressie'. Alle bewegingen verlopen in een traag tempo. De patiënt zit soms in één houding, bewegingloos, en kan dat tijden volhouden. Als er sprake is van een totale bewegingloosheid noemen we dat een 'stupor'. Dit lijkt op een toestand van algehele verdoving.

bij veel depressieve patiënten gaat het spreken, denken en bewegen trager

Mensen met een ernstige depressie hebben meestal geen behoefte om uit zichzelf te spreken. Ze kunnen uren zwijgen en op vragen wordt traag gereageerd, vaak met eenlettergrepige woorden: 'ja' of 'nee'. De omgeving merkt dat je de woorden eruit moet trekken. En als de patiënt eens iets zegt, doet hij dat met zachte, monotone stem. Soms praten ze helemaal niet meer. Dit wordt 'mutisme' genoemd.

Alles verloopt traag, niet alleen het denken van de patiënt maar ook zijn tijdsbeleving. Een minuut duurt voor een depressief persoon een uur, een uur duurt een dag en een dag duurt bijna een jaar. Dit wordt door de patiënt als zeer afschuwelijk ervaren. Hoe erg dit is valt voor anderen moeilijk voor te stellen.

Daartegenover staat de zogenoemde 'geagiteerde depressie', waarbij de depressieve patiënt juist heel onrustig en ongedurig in zijn bewegingen is. Deze bewegingen zijn meestal doelloos: de patiënt loopt heen en weer (ijsbeert) of trommelt op tafel, terwijl hij onrustig op zijn stoel heen en weer schuift. Hij is snel geïrriteerd; bovendien kan hij angstig zijn. Het gedrag is *aanklampend*, dat wil zeggen dat de patiënt steeds maar weer probeert aan zijn omgeving duidelijk te maken hoe moeilijk hij het heeft. Dit kan tot irritatie leiden, wat het isolement van de patiënt groter maakt.

depressieve patiënten voelen zich vaak zeer gespannen

Hand in hand met de agitatie gaat een gevoel van gespannenheid. Depressieve patiënten voelen zich vaak zeer gespannen. Dit gevoel kan zelfs zo overheersend zijn, dat er door de omgeving en eventueel ook door hulpverleners niet aan een depressie gedacht wordt. Er zijn klachten over hoofdpijn, in de vorm van een bandgevoel om het hoofd, of over hoofdpijn die vanuit de nek omhoog trekt.

De patiënt kan ook last hebben van buikpijn of van een drukkend gevoel op de maag. Die gespannenheid kan zelfs zichtbaar zijn, doordat de patiënt over zijn hele lichaam beeft. Hij uit zijn gespannenheid via uitspraken als: 'Ik kan het nergens vinden' of 'Ik kan me niet meer ontspannen'. Soms kan de spanning zelfs aanleiding zijn tot een paniekaanval, waarbij de patiënt denkt dat hij op het punt staat dood te gaan of gek te worden. Tot voor kort werd dit ook wel een 'hyperventilatieaanval' genoemd, maar deze term is losgelaten omdat je zo'n aanval ook kunt krijgen zonder dat de ademhaling ontregeld is.

(6) Moeheid of verlies van energie

'De fut is eruit', 'Het lijkt wel of ik geen energie meer heb om ook maar iets te doen': dit zijn veelgehoorde opmerkingen van mensen met een depressie. 's Morgens bij het opstaan voel je je al zo moe alsof je er al een hele dagtaak op hebt zitten. De neiging om te blijven zitten of maar weer naar bed te gaan is dan erg groot. Voor de omgeving is dit moeilijk te begrijpen en het veroorzaakt dan ook snel spanningen binnen de relatie of het gezin. Er wordt dan gezegd: 'Zet nou toch door, waar is je wilskracht van vroeger gebleven?' Het zal duidelijk zijn dat de verschillende kenmerken die we hier apart van elkaar bespreken, sterk met elkaar samenhangen. Als je slecht slaapt word je alleen daardoor al moe. En dan heb je minder zin in alles. Minder zin dus ook in eten, in seks en in andere dingen die je vroeger nog wel de moeite waard vond. En wie minder zin en minder motivatie heeft, heeft vanzelf ook minder energie om iets te ondernemen. Terwijl je door gebrek aan energie weer minder zin hebt om iets te doen... Alle kenmerken, die door de dokter 'symptomen' worden genoemd en door u gewoon 'klachten', hangen met elkaar samen. Dat we ze apart bespreken, is omdat we alles zo duidelijk mogelijk willen uitleggen.

(7) Gevoel van waardeloosheid of schuld

Patiënten die depressief zijn hebben vaak een lage dunk van zichzelf – een laag gevoel van eigenwaarde. Ze hebben voortdurend het gevoel dat ze tekortschieten en falen, zowel in hun gezin als op hun werk. Ze denken erg min over zichzelf en gaan daar diep onder gebukt. Dit geldt ook voor hun uiterlijk. Ze vinden zichzelf onaantrekkelijk of zelfs afzichtelijk, en ze kunnen zich niet voorstellen dat een ander daar niet net zo over denkt. Het is voor de omgeving meestal niet mogelijk om hen dit soort gedachten uit het hoofd te praten. Natuurlijk zijn er een boel mensen die voortdurend erg negatief over zichzelf denken. Als dat niet klopt met de werkelijkheid en als ze zich door dat gevoel niet goed kunnen ontplooien, is er zeker werk aan de winkel – voor henzelf en soms met professionele hulp (psychotherapie).

Een gezond gevoel van eigenwaarde, weten wat je waard bent, wat je wel en niet kunt, hebben we allemaal nodig. Als iemand eerst wel een normaal zelfgevoel had en geleidelijk veel minder positief over zichzelf is gaan denken, is er vaak een depressie in het spel.

In het verlengde van een gering gevoel van eigenwaarde liggen schuldgevoelens (vaak gevolgd door schaamte). Deze kunnen zeer kwellend zijn. De schuldgevoelens kunnen ook verklaren waarom een patiënt het slecht verdraagt dat anderen hem proberen te helpen. Hij vindt niet dat hij hun aandacht verdient, hij schaamt zich voor zichzelf. Goedwillende familieleden en vrienden hebben dit niet altijd in de gaten en dat kan verkeerd uitpakken. De patiënt maakt zichzelf voortdurend verwijten over dingen die hij in het verleden gedaan of juist nagelaten heeft. Zo kan hij bijvoorbeeld het idee hebben dat hij slecht geleefd heeft en bepaalde dingen heeft gedaan waarvoor hij gestraft moet worden. Dit idee kan soms nog wel gecorrigeerd worden: door naar anderen te luisteren of door je eigen verstand bij elkaar te rapen. Dan is het 'alleen maar' waan-achtig. Maar het kan ook verder gaan. In de vorm van een vaste overtuiging, tegen beter weten in

de patiënt maakt zichzelf
voortdurend verwijten

en wat anderen ook beweren: 'Het is echt waar'. Dan wordt het een echte, 'harde' waan. Een *waan*, een psychotisch verschijnsel, betekent dat iemand een opvatting, een overtuiging heeft die niet klopt. Omdat psychose een heel belangrijk onderwerp is in de psychiatrie vragen we er hier speciale aandacht voor.

Psychotische verschijnselen

Met *psychose* wordt een toestand bedoeld waarbij de menselijke geest niet meer goed in staat is onderscheid te maken tussen wat echt is en wat niet: het contact met de (objectieve) werkelijkheid is verstoord. De fout kan in het denken liggen, en dan spreken we van een *waan*. Iemand denkt bijvoorbeeld dat hij de zoon is van prins Bernhard, terwijl dat (waarschijnlijk) niet zo is. Of hij verkeert in de waan dat anderen het op hem voorzien hebben, dat 'ze' een complot tegen hem beramen of hem willen vergiftigen. Paranoïde waan heet dat. De fout kan ook zitten in de waarneming van de zintuigen. Iemand ziet of hoort dingen die er helemaal niet zijn. Tenminste, andere mensen horen en zien die niet. Dit noemen we 'hallucinaties' of 'zinsbegoochelingen'. Bij een depressie is er eigenlijk altijd sprake van een soort psychose. Want iemand die alles veel te zwart ziet, lijdt in feite aan een negatieve waan. Hij ervaart de werkelijkheid niet zoals andere, gezonde mensen, maar ziet die in een onnatuurlijk, ongezond negatief licht.

Het zware woord 'waan' of 'psychose' bewaren we overigens liever voor ernstiger vormen van depressie, waar de patiënt echt de kluts kwijt is, bijvoorbeeld voor een welgestelde zakenman die handenwringend uitroept dat hij straatarm is, geen geld heeft om de huur te betalen of om eten te kopen voor zijn gezin, dat nu door zijn schuld ten onder gaat. Er gaan veel mensen failliet, dat is waar, maar deze zakenman heeft nog ruim voldoende achter de hand. Hij lijdt aan zogenoemde 'schuldwaan' of 'armoedewaan'. Een ander voorbeeld betreft een dame, die we mee willen nemen voor opname in het ziekenhuis. Maar zij wil eerst wat kleren uitzoeken. En dan beweert ze voor haar uitpuilende klerenkast dat ze niets heeft om aan te trekken. In haar geval is dat geen aanstellerij, want in haar psychose ziet ze alleen lege planken.

bij een depressie klopt de inhoud van de psychose meestal wel met de stemmingsstoornis

Bij een depressie klopt de inhoud van de psychose meestal wel met de stemmingsstoornis. Bij depressie hoort nu eenmaal dat je jezelf waardeloos voelt, dat je je schuldig voelt, dat je overtuigd bent dat je niets meer kunt en niets meer hebt. En zo'n waan past daarin. Dat heet een 'stemmingscongruente' waan.

Een geheel ander soort psychose komen we tegen bij een ziekte als schizofrenie, of als gevolg van drugsgebruik. Dan kan de inhoud van de waan of psychose bizar en vreemd zijn, en niet goed in te voelen: 'stemmingsincongruent'. De patiënt denkt bijvoorbeeld dat hij blauw gas uit de verwarming ziet komen of dat er reuzen op zijn zolder wonen. Dit zijn psychoses van een heel andere orde. Bij depressieve patiënten is de waan wel ernstig, maar we kunnen ons er nog een voorstelling van maken; deze wanen zijn naar verhouding gelukkig goed te behandelen.

(8) Concentratieproblemen en besluiteloosheid

Patiënten met een depressie hebben heel veel moeite hun aandacht ergens bij te houden: gebrek aan concentratie ofwel 'concentratiezwakte'. Een boek lezen lukt haast niet meer, terwijl tv-uitzendingen eigenlijk ook langs hen heen gaan. In gezelschap lijken ze afwezig. Wat ze horen gaat het ene oor in en het andere oor weer uit. Soms lijkt het dan ook alsof ze vergeetachtig zijn. Met nadruk wordt hier het woord 'lijkt' gebruikt. Want het geheugen als zodanig is niet gestoord. Maar als er iets tegen je gezegd wordt terwijl je je gedachten er niet bij kunt houden, dan ben je het ook zo weer vergeten. Al snel wordt in zo'n geval, vooral als de patiënt al wat ouder is, gedacht aan beginnende dementie. Dit wordt ook wel 'pseudodementie' genoemd, een wat ongelukkige, overigens al verouderde benaming, omdat er helemaal geen sprake is van dementie. Een proefbehandeling met een antidepressivum kan in zo'n geval duidelijkheid verschaffen. Als het om een depressie gaat, verminderen de geheugen- en concentratiestoornissen dan meestal snel. Dit alles neemt natuurlijk niet weg dat een demente patiënt ook depressief kan worden en dat een chronisch depressieve patiënt ook een dementie kan ontwikkelen. Het is dan ook vaak moeilijk om een depressie van een dementie te onderscheiden.

Bij depressieve mensen gaat het denken trager, zoals al vermeld is, en is de concentratie verzwakt. Geen wonder dat het nu niet meer goed lukt om beslissingen te nemen: je gaat twijfelen aan de meest eenvoudige, elementaire dingen die voorheen geen problemen opleverden – gewone, alledaagse dingen als: 'Welke kleren trek ik vandaag aan?' en 'Wat zal ik vanavond eten?' Wij noemen dit besluiteloosheid of *twijfelzucht*.

bij depressieve mensen gaat het denken trager en is de concentratie verzwakt

(9) Denken aan de dood

Voor veel depressieve patiënten hoeft het leven niet meer. Bij de één komt deze gedachte slechts zo nu en dan op: 'als ik morgen niet meer wakker word vind ik dat prima'. Maar bij de ander is deze gedachte voortdurend aanwezig. Soms kan men aan niets anders meer denken. De dood is namelijk de enige manier, zo denkt men, om uit het lijden verlost te worden. Het leven wordt ervaren als een kwelling. Vaak denkt de patiënt ook het niet langer meer te verdienen om te leven (straf). Een depressief iemand denkt dat hij de omgeving alleen maar tot last is: 'Ik kan maar beter dood zijn, dan zijn jullie van mij af'. Meestal blijft het bij veel denken aan de dood. Soms neemt het denken de vorm aan van een doodswens, een verlangen naar het einde. Het gevaar schuilt er natuurlijk in dat de patiënt niet geduldig afwacht, maar het heft in eigen handen gaat nemen en plannen maakt in de richting van suïcide / zelfmoord / zelfdoding – verschillende woorden voor hetzelfde.

taboe om over suïcidale gedachten te praten

Familieleden, maar ook hulpverleners ervaren het nog steeds als een taboe om over suïcidale gedachten te praten en om direct te vragen naar eventuele vastomlijnde plannen in die richting. Veel patiënten zwijgen hierover, omdat ze zich schamen, omdat ze weten dat ze de ander hiermee in verlegenheid zullen brengen of uit angst dat hun plannen vroegtijdig ontdekt worden. De meesten echter tonen zich opgelucht wanneer er eenmaal over gesproken is. Daarna voelen zij zich meer begrepen en beschermd.

Iedere medische aandoening heeft haar eigen beruchte complicaties. Bij depressie is dat zelfmoord, suïcide. In Nederland plegen ieder jaar ongeveer 1500 mensen zelfmoord, waarvan de helft als gevolg van een depressie. We moeten ons realiseren dat er jaarlijks 750.000 mensen aan deze ziekte lijden, dus de kans dat het op zelfdoding uitloopt is niet enorm groot: ongeveer één op duizend. Maar iedere dode is er wel één te veel, en zeker bij depressie, want deze ziekte is in principe te behandelen en daarmee zou zelfdoding voorkomen kunnen worden. Vanwege het grote belang van het onderwerp suïcide volgt nu een aparte paragraaf.

Suïcide en hoe daarmee om te gaan

heftige gevolgen voor de directe en ook wijdere omgeving

Suïcidaliteit is de kans op zelfdoding. Suïcide – zelfmoord, door sommigen liever zelfdoding genoemd – is een gevreesd fenomeen met heftige gevolgen voor de directe en ook wijdere omgeving van het slachtoffer. Als samenleving voelen wij ons er verantwoordelijk voor om het aantal suïcides zo laag mogelijk te houden. Voor een goed omgaan met de crisissituatie suïcidaliteit is het noodzakelijk om voldoende kennis te hebben van het onderwerp – kennis die zowel uit wetenschappelijk onderzoek verkregen is als door klinische ervaring is opgedaan, dat wil zeggen door de behandeling van patiënten.

In deze paragraaf zullen we aandacht besteden aan relevante statistische uitkomsten (hoe vaak komt suïcide voor?), fenomenologie (hoe ziet het eruit?), inschatting van gevaar (wat zijn de risicofactoren?), diagnostiek (wat is het verband met depressie en andere psychiatrische stoornissen?) en behandeling (hoe voorkómen wij dat de suïcidale persoon zijn plan uitvoert?). Ten slotte is er speciale aandacht voor de ambivalentie die de beslissing tot suïcide meestal kenmerkt en die ons de gelegenheid geeft tot levensreddend ingrijpen. Met 'ambivalentie' wordt bedoeld dat de betrokkene aarzelt tussen verschillende emoties, die verschillende soorten gedrag met zich meebrengen.

suïcide is een uiting van autonomie

Suïcide is geen doel op zich, maar kan beter gezien worden als een middel om een doel te bereiken; het is een strategie, variërend van zelfbescherming tegen onheil of verdere aftakeling, tot de extreme actie van de zelfmoordterrorist. Daarnaast is suïcide een uiting van autonomie (zelfstandigheid, zelfbeschikking): de finale en dramatische keuze om het eigen lot te bepalen. Enige cijfers: vijftien procent van de mensen heeft in gedachten minstens éénmaal serieus gespeeld met het idee om actief een einde aan hun leven te maken; we noemen dat 'suïcide-ideatie'. Bij vier procent is het daadwerkelijk tot een zelfmoordpoging gekomen. Jaarlijks leidt dit in Nederland dus bij ruim 1500 mensen tot de dood. Van deze suïcidanten (suïcideplegers) heeft vijftig procent in de maand vóór hun zelftoegebrachte dood de huisarts bezocht en vijftien procent een hulpverlener van de ggz (geestelijke gezondheidszorg). Opvallend is dat bij de huisarts meer lichamelijke dan psychische klachten worden beschreven; zelden of nooit meldt de patiënt spontaan dat hij somber is en worstelt met een doodsverlangen.

Voor alle duidelijkheid: suïcide betekent dat iemand echt een einde aan zijn leven heeft gemaakt, al was dat soms per ongeluk: het was niet de bedoeling om te overlijden, maar de persoon heeft zoveel risico genomen dat het fout is afgelopen. Veel vaker loopt het niet af met de dood. Er vindt heel vaak een suïcidepoging plaats – in vaktaal 'tentamen suïcidii' genoemd, meestal afgekort tot TS. In ons land zijn jaarlijks meer dan 93.000 (!) van die pogingen geregistreerd. Dit enorme aantal is bekend geworden via artsen, de politie, de ziekenhuizen. En wie weet hoeveel pogingen thuis in alle stilte voorbij zijn gegaan, zonder dat iemand het gemerkt heeft? Op iedere geslaagde suïcide zijn er dus veertig tot zestig zelfmoord-*pogingen*!

'Veilige medicatie' biedt slechts beperkte bescherming

Veel mensen denken bij een TS meteen: 'die heeft te veel pillen geslikt, een overdosis'. In 'slechts' vijftien procent van de geslaagde suïcides blijkt een overdosis medicijnen de doodsoorzaak te zijn, terwijl dit percentage bij een zelfmoordpoging vijftig procent bedraagt. Dit betekent dat het voorschrijven van veilige medicatie door de arts maar een beperkte bescherming biedt. De medicijnen worden veel vaker misbruikt voor een TS dan voor een geslaagde zelfdoding. Andere manieren om een einde aan het leven te maken zijn: ophanging (strangulatie – letterlijk: worging; komt vooral voor bij mannen), de polsen doorsnijden, zich voor de trein werpen of van een grote hoogte springen, het gas aanzetten (asfyxie of verstikking), en verdrinking.

Risicofactoren

Depressie vormt één van de grootste risicofactoren voor suïcide en wordt met name door de hulpverleners gevreesd omdat het om een behandelbare aandoening gaat. Met andere woorden: de overledene had nog in leven kunnen zijn. Daarnaast eisen verslavingen aan alcohol, medicijnen en drugs hun dodelijke tol (bij zeventien procent van de suïcides). Andere psychiatrische stoornissen zoals schizofrenie (veertien procent) en persoonlijkheidsstoornissen (dertien procent) spelen eveneens een belangrijke rol.

Eerdere suïcidepogingen vergroten de kans op een geslaagde suïcide. Een uitzichtloze sociale situatie en sociale ontwrichting, zoals een scheiding en andere verliessituaties, traumatische gebeurtenissen, persoonlijkheidsfactoren zoals een negatief zelfbeeld, doen de kans toenemen dat iemand het leven niet meer de moeite waard vindt. Suïcidaal gedrag in de familie, eerdere opnames in een psychiatrisch ziekenhuis of teleurstellende ervaringen met de ggz vormen eveneens belangrijke risicofactoren. Er zijn aanwijzingen dat er een erfelijke factor meespeelt. Daarom is het altijd heel belangrijk om te weten of er eerder zelfmoord in de familie is voorgekomen.

eerdere suïcidepogingen vergroten de kans op een geslaagde suïcide

Speciale aandacht voor depressie

Depressie komt veel voor in onze samenleving, binnen en buiten de praktijk van huisartsen en andere hulpverleners. Het is van vitaal belang dat het ziektebeeld tijdig onderkend wordt, zodat deze aandoening goed kan worden behandeld. Dat vereist in veel gevallen dat de omgeving een signaal afgeeft en de depressieve persoon ertoe brengt om professionele hulp te zoeken. De professional dient vervolgens goed toegerust te zijn om deze hulp op de juiste manier te bieden. Kan hij een goede inschatting van het risico maken en daardoor de dreiging van een suïcide afwenden? Belangrijke kenmerken van een depressie zijn volgens de DSM-IV: een sombere stemming, niet meer kunnen genieten, slapeloosheid, verlies van eetlust, minderwaardigheidsgevoelens, schuldgevoel, pessimisme, concentratieverlies, geheugenzwakte, de neiging zich terug te trekken, weinig vertrouwen in anderen, weinig toekomstperspectief (hopeloosheid), traag spreken en een terneergeslagen houding.

belangrijke kenmerken van een depressie

De zogeheten 'lifetime-prevalentie' van depressie wordt geschat op zestien procent, wat betekent dat zestien procent van de mensen ooit in hun leven ten minste éénmaal een periode depressief is geweest. De 'puntprevalentie' bedraagt zes procent, wat inhoudt dat op een bepaald moment in de tijd zes procent van de mensen depressief is. Depressie komt bij vrouwen twee keer zo vaak voor als bij mannen.

Hoe is suïcidegevaar te herkennen?

Het is van belang inzicht te krijgen in de frequentie, duur en intensiteit van de depressieve klachten, zoals een sombere, apathische, geïrriteerde of angstige stemming: is er steeds een sombere stemming of kan de depressieve persoon nog ergens van genieten: zijn er ook lichtpuntjes? Heeft hij het gevoel dat het altijd zo zal blijven, dat er geen hoop meer is, of denkt hij er weer uit te komen? Zijn er gedachten aan de dood of suïcide? Zijn deze gedachten passief (ik zou morgen het liefst niet meer wakker willen worden) of actief (zijn er concrete ideeën over de manier waarop een eind aan het leven gemaakt kan worden?). Het suïcidegevaar neemt toe als er al concreet nagedacht wordt over de manier waarop de zelfmoord ten uitvoer zal worden gebracht: door het nemen van een overdosis medicijnen, door het doorsnijden van de polsen of door voor de trein te springen. Als er sprake is van al verder uitgewerkte voorbereidingen – er liggen al medicijnen in huis klaar of er is een afscheidsbrief geschreven – dan hebben we te maken met een uiterst alarmerende situatie. Bij de hulpverlener moeten alle bellen gaan rinkelen als iemand overduidelijk suïcidegedachten heeft, zijn plan al heeft uitgewerkt en er sprake is van eerder genoemde risicofactoren.

Hoe kan het gevaar worden afgewend?

Allereerst is het nodig de desbetreffende persoon uit zijn isolement te halen door te luisteren naar zijn of haar verhaal, waarbij de omgeving of hulpverlener empathisch is (empathie is het vermogen om je in te leven in de gevoelens van de ander – een belangrijke eigenschap voor hulpverleners) en niet veroordelend, maar deskundig en hoopgevend. Dit kan al voor opluchting zorgen. Laat iemand niet alleen. Zorg ervoor dat er iemand in de buurt blijft. Door bijvoorbeeld de persoon te overreden bij een goede vriend(in) of een vertrouwd familielid te gaan logeren, of ervoor te zorgen dat iemand bij de mogelijke suïcidant de nacht kan doorbrengen.

Het is van belang om medicatie die voor de zelfmoord gebruikt kan worden, bij een ander in bewaring te geven. Want de beschikbaarheid van geneesmiddelen oefent in een kritieke fase grote aantrekkingskracht uit op mensen die suïcide overwegen. Moedig de suïcidale persoon aan om zijn of haar agressie of woede jegens de wereld, jegens anderen of jegens zijn levenslot te ventileren ('het lucht op je uit te spreken'). Mocht dat geen soelaas bieden, dan blijft de kans op zelfmoord levensgroot aanwezig. Met behulp van (uiteraard veilige) medicijnen zijn angstgevoelens en slapeloosheid te bestrijden. Een nacht goed slapen kan het suïciderisico tijdelijk verminderen. Daarna is iemand waarschijnlijk beter in staat om andere oplossingen voor zijn problemen te overwegen. Cruciaal is ook de houding van de behandelaar. Deze moet sturend ('directief') en overtuigend zijn, waarbij hij of zij bereid is om tijdelijk de verantwoordelijkheid van de potentiële suïcidant over te nemen.

Als laatste redmiddel kan een gedwongen opname volgen in het kader van de BOPZ (Wet bijzondere opnemingen psychiatrische ziekenhuizen). In zulke gevallen kan een psychiater een medische verklaring schrijven, waarmee de plaatselijke burgemeester een last tot inbewaringstelling (IBS) afgeeft. Ook tegen de wens van de patiënt in kan deze dan, desnoods met behulp van politie en ambulance, worden opgenomen in een psychiatrisch ziekenhuis.

moedig de suïcidale persoon aan om zijn of haar agressie of woede te ventileren

Tot slot: de ambivalentie

Weinig mensen willen dood. En nog veel minder mensen willen alléén maar dood. Er is bijna altijd ambivalentie in het spel: de aarzeling tussen twee opties, leven en dood. Wij moeten deze ambivalentie niet afdoen als een bewijs dat we de doodswens van iemand niet echt serieus hoeven te nemen. Nee, er is sprake van een gezonde besluiteloosheid, die aan de betrokkene zelf en aan ons net dat beetje ruimte laat dat nodig is (zij het niet altijd voldoende). Soms lijkt het wel 'Russisch roulette' en wordt het lot in handen van het toeval gelegd. Soms gunt de suïcidant anderen de kans om in te grijpen: Isabel neemt haar hele buisje slaaptabletten in op de dag dat haar moeder, die de sleutel van haar flat heeft, hoogstwaarschijnlijk voor een bezoekje langs zal komen. Hans staat op het dak, maar wacht nog of de ijlings toegesnelde hulpverlener hem iets zinnigs te melden heeft. Anneke besluit impulsief om op een leeg stuk snelweg dertig seconden lang haar ogen dicht te houden (als ze dát overleeft zal ze de confrontatie met de rechtbank over het voogdijschap van haar kinderen aangaan). En Peter tracht zichzelf op te hangen, maar kiest daarvoor de badkamer uit, waar het plafond te laag is en zijn onhandige poging waarschijnlijk zal mislukken.

Wanneer wij suïcidaal gedrag opvatten als een strategie, als een middel om een doel te bereiken, dan geeft de ambivalentie van de suïcidant ons de gelegenheid om hem of haar een andere strategie aan te bieden: een gezonder middel om het doel te bereiken, of het kiezen van een gezonder doel.

meer dan negentig procent is blij dat hun zelfmoordpoging niet gelukt is

Van alle mensen die een serieuze zelfmoordpoging door toeval of geluk of door een interventie (dat is de term voor een deskundig uitgevoerde ingreep in het proces) hebben overleefd – ook al was dat zeer tegen hun wens van dát moment – blijkt meer dan negentig procent blij te zijn dat hun zelfdoding niet gelukt is. Hiermee wordt het idee ontkracht dat suïcide vaak een weloverwogen keuze is van een individu, die ons respect en begrip verdient. Ter afsluiting: een aantal veel voorkomende misvattingen.

Feiten of mythen?

• *Depressieve mensen plegen gemakkelijk zelfmoord*
Bijna alle depressieve mensen zijn, meer dan gezonde mensen, bezig met de dood. Gelukkig is slechts een minderheid van al deze patiënten suïcidaal. Een depressie die zo ernstig is, dat er een ziekenhuisopname nodig is, leidt na verloop van tijd in tien procent van de gevallen tot een geslaagde suïcide. Omgekeerd schat men dat er bij suïcide in veertig tot vijftig procent van de gevallen sprake is van een depressie volgens DSM-IV. Op duizend lijders aan depressie vindt er jaarlijks één suïcide plaats.

• *Suïcidaliteit betekent: psychiatrische stoornis*
Je moet wel 'gek' of psychisch ziek zijn als je je van het leven berooft. Deze gedachte heeft een sterke morele lading: het is in veel
culturen taboe om dood te willen. Anderen zeggen dat je niet om
het leven gevraagd hebt en dat je een cadeau ook mag weigeren.
De ethische achtergronden van wetenschappers verklaren deels
de grote verschillen in uitkomsten van hun onderzoek. Sommigen vonden dat alle zelfmoordenaars per definitie psychiatrisch
gestoord waren; anderen kwamen slechts tot twintig à dertig
procent. Zij beschouwden suïcide heimelijk als een soort helden-
daad, een goed verdedigbare, zelfstandige keuze. Volgens recent,
grootschalig onderzoek, zoveel mogelijk gevrijwaard van morele
oordelen, is er bij negentig procent van de suïcides sprake van
een achterliggende psychiatrische ziekte.
Deze ziekte is lang niet altijd in haar eentje verantwoordelijk
voor de noodlottige afloop. Er spelen ook andere stoornissen
mee zoals verslaving aan alcohol en drugs, en persoonlijkheidsstoornissen. En niet iedereen zal bij deze patiënten direct aan
psychiatrie in engere zin denken.

• *Het vragen naar suïcidale gedachten brengt patiënten maar op*
  het idee
Integendeel. De patiënt is bijna altijd opgelucht als hij uit zijn
isolement wordt gehaald: eindelijk iemand die zijn geheime
doodswensen begrijpt, er niet van schrikt en hem niet veroor-
deelt. Het 'zijn hart luchten' helpt om daarna gezondere alterna-
tieven te zoeken.

• *Suïcide: de uitkomst van een weloverwogen afweging?*
De zogenoemde 'balanssuïcide' – op grond van een weloverwogen besluit – komt in ongeveer vier procent van de gevallen voor,
vaak bij oudere mannen. Het begrip balanssuïcide is populair bij
sommige hulpverleners, want het ontslaat hen van iedere verdere verantwoordelijkheid: de patiënt is gezond en mag doen wat
hij zelf wil. Bij nader doorvragen blijken veel van deze 'balans'-
patiënten toch liever een andere oplossing te verkiezen.

• *Iemand die gemakkelijk over suïcide praat, zal er niet toe over-*
  gaan
De praktijk heeft deze stokoude redenering helaas vaak gelo-
genstraft. De stelling is verleidelijk, want ze geeft de omgeving,
professioneel of 'gewoon', de ruimte om maar even niets te ondernemen.

• *Iemand met een voorgeschiedenis van suïcidepogingen zal het*
  wel bij pogingen laten
Zelfs wanneer iemand alleen een zelfmoordpoging doet met het
doel om aandacht te trekken, dan zal hij bij minder serieuze re-

acties van de omgeving gedwongen worden om steeds steviger acties te ondernemen: voor zijn eigen geloofwaardigheid en om evenveel aandacht van de anderen te krijgen. Van alle 'pogers' doet uiteindelijk tien procent een fatale poging.

• *Goed vakmanschap kan suïcide altijd voorkómen*
In de gemiddelde huisartspraktijk vindt om de zes à zeven jaar een geslaagde suïcide plaats. De kans dat de suïcidant eerder op het spreekuur is geweest en dat daarbij zijn suïcidaliteit onvoldoende is onderkend, bedraagt 1 op 55.000. Met andere woorden, verreweg de meeste consulten verlopen goed. Of een arts of een andere hulpverlener nooit of juist vaak geconfronteerd wordt met de zelfdodingsellende, hangt grotendeels af van statistisch toeval. Suïcide is zeker niet in alle gevallen te voorkomen. Anderzijds bieden onze huidige kennis en ervaring een groot aantal aanknopingspunten voor preventiebeleid. Om in de toekomst actief suïcides te voorkomen hebben we de hulp nodig van alle verantwoordelijke mensen: van de professionals, maar – minstens zo belangrijk – van alle anderen in de omgeving van zelfmoordkandidaten. Zijn wij dat niet allemaal?

113Online

Sinds eind 2009 is er met steun van de overheid een speciale internetsite bijgekomen: http://www.113online.nl/home. Hier is heel veel informatie te vinden over suïcide. Nog belangrijker is dat je er contact kunt leggen met iemand die helpt, als je worstelt met akelige gedachten aan de dood. Je kunt chatten of een telefoonnummer bellen: 0900-1130113, vierentwintig uur per dag. In de korte tijd sinds de oprichting blijkt al dat deze mogelijkheid in een grote behoefte voorziet. Ook naasten van iemand met zelfmoordplannen en nabestaanden kunnen hier terecht.

Andere veel voorkomende verschijnselen

Na de beschrijving van de negen belangrijkste kenmerken die een rol spelen bij het ziektebeeld depressie, inclusief psychose en suïcidaliteit, besteden we nu speciale aandacht aan enkele andere veel voorkomende verschijnselen.

Lichamelijke klachten

Het verschil dat vroeger werd gemaakt tussen lichaam en geest is wetenschappelijk gezien achterhaald. Als onze hersenen onder druk staan en op stress moeten reageren, kiezen ze daarvoor de meest geschikte uitlaatklep. Dat levert soms psychische klachten op, soms lichamelijke (waaronder pijn) en meestal een combinatie daarvan. Mensen met een depressie hebben bijna altijd ook lichamelijke klachten: moeheid, slecht slapen, slecht eten, maar

mensen met een depressie hebben bijna altijd ook lichamelijke klachten

ook pijn. Tijdens een depressie lijkt het of alle huis-, tuin- en keukenpijntjes dubbel zo sterk gevoeld worden. Denk aan hoofdpijn, spierpijn, gewrichtspijn, buikpijn, rugpijn. Maar ook zoiets engs als pijn op de borst is vaker een gevolg van de depressie dan dat er iets mis is met het hart. Het spreekt vanzelf dat veel mensen met dat soort pijnklachten naar de dokter gaan. En die doet dan lichamelijk onderzoek en vindt niets. 'U mankeert gelukkig niets, mevrouw, u bent helemaal gezond,' zegt hij dan, maar daarmee is de pijn nog niet weg. Dokters noemen het 'onbegrepen lichamelijke klachten' of ze geven er een naam aan die soms wel ergens op slaat, maar vaak ook niet: fibromyalgie, chronisch vermoeidheidssyndroom, prikkelbaredarmsyndroom of spastische colon, whiplash. Allemaal diagnoses die soms terecht gesteld worden en dan ook als zodanig moeten worden behandeld. Maar vaak zijn het meer verlegenheidsdiagnoses, om 'het beestje een naam te geven'. En de patiënt is er niet mee geholpen. Sterker nog: patiënt en arts zijn op een dwaalspoor geraakt en een adequate depressiebehandeling is verder uit zicht dan ooit. Langzaam dringt in medische kringen het nieuwe inzicht in depressie door: het gaat om lichaam én geest. Die onbegrepen lichamelijke klachten horen bij de depressie.

Libidoverlies

Libido is een mooi woord voor 'zin in seks'. Van libidoverlies is sprake wanneer je geen aandrang voelt of zin hebt om te vrijen. Uiteraard geldt dat in omstandigheden dat je 'normaal' wel zin en behoefte zou hebben. Bijna alle depressieve patiënten hebben hier last van. 'Het hoeft niet meer zo nodig.' Het lukt ook niet meer zo goed en men raakt al snel in een vicieuze cirkel. Bij de man geeft dat potentie-, ejaculatie- en orgasmeproblemen. De vrouw heeft ook geen zin en als ze het toch, voor haar partner, doet, voelt ze er weinig bij en van klaarkomen is dan bijna nooit sprake.

Net als bij de eerder genoemde lichamelijke klachten heeft men bij seksuele problemen niet altijd meteen in de gaten dat het om een depressie gaat. Ook hier geldt dat wanneer de depressie verdwijnt, de seks weer als vanouds wordt. Soms zit er natuurlijk wel meer achter: relatieproblemen, of toch een lichamelijke oorzaak? Het is ook heel belangrijk te weten dat veel medicijnen, juist ook grote groepen moderne antidepressiva, als bijwerking seksuele problemen kunnen veroorzaken of verergeren. Sinds kort zijn er een paar middelen tegen depressie op de markt gekomen, die deze hinderlijke bijwerking níét hebben, en waar je ook niet dikker of suffer van wordt. Bespreek het met uw huisarts als u in deze positie zit!

Er is nog een waarschuwing op zijn plaats. Mannen hebben toch al meer moeite om hun gevoelens te uiten. Ze gaan minder gemakkelijk naar de huisarts als ze depressief zijn. Als de seks niet

achter seksuele problemen kan een depressie schuilgaan

naar wens gaat komen ze misschien in de verleiding om via internet middelen te bestellen om hun potentie te vergroten, terwijl er achter deze klachten mogelijk een depressie schuilgaat. Het spreekt vanzelf dat ze dan beter behandeling voor die depressie kunnen zoeken. Dat is misschien minder stoer, maar wel effectiever, en goedkoper.

Angstklachten

We zeggen wel dat somberheid en angst broer en zus zijn – twee handen op één buik. Dat wil zeggen dat dezelfde patiënt vaak van beide last heeft. Veertig procent van de depressieven heeft ook angstklachten, soms in de vorm van paniekaanvallen (vroeger 'hyperventilatie' genoemd). De angst om zo'n aanval te krijgen leidt ertoe dat patiënten bepaalde zaken gaan vermijden. De straat opgaan of zelfs alleen zijn wordt als angstig ervaren.

Er zijn veel vormen van angst. Angst voor bepaalde dingen (injecties), situaties (een drukke winkel), kleine ruimtes (lift), dieren (spinnen) en nog veel meer. We noemen dat fobische klachten. Maar soms is het onduidelijk waarvoor je precies bang bent. Dat heet 'algemene' of 'diffuse angst'. Depressie waar ook nog angst bij komt is extra belastend. Bij de behandeling moeten we daar rekening mee houden.

fobische klachten

Een aparte vorm van angststoornis is de dwangstoornis. Er zijn dwanggedachten: onaangename, onuitgenodigde, kwellende gedachten die zomaar het brein binnendringen. En er zijn dwanghandelingen, vaak een soort rituelen, zoals eindeloos handen wassen, om die akelige gedachten 'goed te maken', te neutraliseren.

Dit soort dwangverschijnselen komt veel voor, in alle soorten en maten. Iedereen heeft weleens gehoord van dwangmatig, overdreven controleren, wassen, schoonmaken. En er zijn nog meer vormen. Dwang als ziekte, de dwangstoornis, komt veel meer voor dan iedereen denkt. Rond twee procent van de bevolking heeft er serieus last van (terwijl daarvan maar één op de tien hulp zoekt!). Onthoud dat ook dit soort klachten (nog) meer voorkomt of verergert bij depressie. Er is in de serie Spreekuur thuis een apart boek over verschenen onder de titel *Dwang dwingt*.

Hypochondrie

Een vorm van ongezonde angst die onze speciale aandacht verdient is hypochondrie. Dat is de angst om aan een ernstige ziekte te lijden, dit ondanks herhaald uitgebreid onderzoek waarbij iedereen de patiënt verzekerd heeft dat er niets mis is. De angst blijft hardnekkig bestaan. Bij een depressie kun je je dat nog wel voorstellen omdat er dan immers veel 'onbegrepen lichamelijke klachten' optreden. En de depressiepatiënt is ook extra gevoelig voor angst. Daarbij gaan zulke mensen vaak overdreven om met hun klachten. Ze controleren bijvoorbeeld ieder uur hun hart-

de depressiepatiënt is extra gevoelig voor angst

slag of bloeddruk. Of ze letten nauwgezet op hun stoelgang. Daar zit ook iets dwangmatigs in. Alweer een punt van aandacht voor onze doelgroep. Uit onderzoek is overigens gebleken dat nog meer onderzoek de patiënt niet geruststelt, maar dat het juist averechts werkt. Een arts die extra veel onderzoek laat doen om zijn patiënt te helpen, bereikt ermee dat die patiënt gaat denken: 'als er zoveel onderzoek nodig is, bewijst dat dat mijn dokter het zelf ook niet vertrouwt'.

Soorten depressie

Na het overzicht van de negen belangrijkste kenmerken zullen we even stilstaan bij de vele soorten depressie die kunnen voorkomen. Zoals hierboven aangegeven, zijn er spelregels opgesteld voor een diagnose volgens de DSM-classificatie. Alleen al uit die spelregels – dat je minimaal vijf kenmerken moet hebben van de lijst van negen – kun je opmaken dat er in theorie zestig (!) soorten depressie zijn. Daarnaast hebben we gewezen op speciale bijkomende zaken zoals psychose, suïcidaliteit, lichamelijke klachten, angst, dwang en hypochondrie. Dat maakt het fenomeen depressie nog diverser. Verder wordt de aard van de ziekte bepaald door wat voor iemand je was vóór je ziek werd: man of vrouw, oud of jong, met een goede, drukke baan of elke dag hangend voor de buis. Wat voor karakter heb je? Ben je een doorzetter, een perfectionist of juist gemakzuchtig? Hoe is of was je lichamelijke conditie? Wat voor dingen heb je tot dusver in je leven meegemaakt? Wat zijn je hobby's? Welk geloof heb je? Wat voor mensen heb je om je heen? Sta je er alleen voor of zijn er geschikte vrienden of familieleden in de buurt? Enzovoort. Als je honderd mensen die aan depressie lijden naast elkaar zet, zie je honderd verschillende mensen met honderd verschillende verhalen. Dat betekent natuurlijk dat de diagnose niet altijd voor de hand ligt en dat een goede behandeling steeds een behandeling-op-maat zal zijn. Het betekent ook dat er veel werk aan de winkel is voor psychiaters en andere beroepsmensen, en dat hun werk misschien niet altijd eenvoudig, maar nooit saai is.

in theorie zijn er zestig soorten depressie

Verschillende oorzaken van depressie

Iemand die ziek is, wil altijd graag weten waardoor dat komt. Want als je de oorzaak kent, weet je in welke richting je genezing moet gaan zoeken. Voor depressie ligt dat niet zo eenvoudig. Er is nooit één enkele oorzaak aan te wijzen. Het is altijd een optelsom van verschillende factoren. We noemen de drie belangrijkste:

- *aanleg*
  Het gaat om erfelijke constitutie, biologische kwetsbaarheid.
- *persoonlijkheid*
  Hoe kijk je tegen problemen aan en hoe heb je in je ontwikkeling geleerd om te gaan met tegenslag.
- *omstandigheden*
  Hier valt van alles onder: het soort werk dat je hebt, de omgang met familie, ouders, partner, kinderen, vrienden, maar ook je lichamelijke en geestelijke conditie. Langdurige druk kan uitputting veroorzaken en dat kan vervolgens een depressie in de hand werken, evenals een bijkomende lichamelijke aandoening.

We gaan deze drie factoren nader aan u voorstellen.

Aanleg

Genetica is de wetenschap die zich bezighoudt met erfelijkheid. Eigenschappen worden van generatie op generatie overgedragen via de genen. Dat zijn onderdelen van de lichaamscellen die erfelijke eigenschappen en 'informatie' in zich dragen. Zij vormen chromosomen – ingewikkelde eiwitstructuren die alleen met een sterke microscoop te zien zijn. De mens heeft gewoonlijk 46 chromosomen (23 paar), die samen het erfelijke materiaal vormen, het DNA. Iemand wordt bijvoorbeeld geboren met blond krullend haar en bruine ogen, en je begrijpt: het blonde haar is van de moeder, de krullen komen van oma en de bruine ogen van de pizzabezorger. Natuurlijk worden veel meer eigenschappen overgeërfd: de aanleg voor wiskunde en de 'talenknobbel', maar ook de aanleg om borstkanker te krijgen, om aan alcohol verslaafd te raken en nog veel meer. Je komt ter wereld met een volle genetische rugzak. Met sommige dingen ben je blij, maar andere maken je het leven extra moeilijk. Je krijgt overigens maar één rugzak en daar moet je het mee doen.

Iedereen kan in principe depressief worden – onder de juiste (dat wil zeggen: slechte) omstandigheden. De ene mens makkelijker dan de andere. De kans dat een depressie erfelijk bepaald

eigenschappen worden van generatie op generatie overgedragen via de genen

weerbaarder worden, voor jezelf opkomen en emoties uitspreken

is wordt op ongeveer vijftig procent geschat. Die andere vijftig procent hangt af van de omstandigheden en van de aanwezigheid van beschermende factoren – van de vraag of je jezelf, vanuit een goede jeugd, hebt toegerust met een deugdelijke afweer tegen tegenslag en ellende. Bij een behandeling maken we hier ook gebruik van. Als je aanleg hebt om depressief te worden, kunnen we die aanleg niet wegtoveren of 'repareren'. Maar we kunnen je wel leren om anders met problemen om te gaan – om weerbaarder te worden, beter voor jezelf op te komen en je emoties uit te spreken in plaats van ze op te kroppen. Het is van belang verdriet goed te uiten, om frustrerende ervaringen met anderen te delen, je uit te spreken tegenover mensen die van je houden. En als er niemand van je houdt, is ook daar wel wat aan te doen: je kunt om te beginnen leren van jezelf te houden.

> VRAAG: *Is mijn depressie erfelijk bepaald? Nu ik erop terugkijk, besef ik dat mijn moeder in haar leven heel vaak somber is geweest, hoewel ze er nooit mee naar een dokter is gegaan. Kan ik dit geërfd hebben en kan ik het ook weer doorgeven aan mijn kinderen?*

ANTWOORD: Ja en nee. Een depressie is een complex ziektebeeld, dat het resultaat is van een optelsom van verschillende oorzaken. Het onderzoek naar de erfelijkheid van alle mogelijke eigenschappen, waaronder de kans om een ziekte te krijgen, is in volle gang. U hebt vast weleens gehoord van chemische structuren die DNA-ketens genoemd worden en die de genen vormen waaruit ons erfelijk materiaal bestaat. De verwachting is dat men er in de toekomst achter komt dat de aanleg om een depressie te ontwikkelen op bijvoorbeeld achttien plaatsen op zeven verschillende genen vastligt. Met andere woorden, de reden dat de ene persoon sneller een depressie ontwikkelt dan een ander wordt deels bepaald door erfelijke factoren. Vaak zien we dat een depressieve patiënt een of meer familieleden heeft die eveneens depressief (geweest) zijn. Op de vraag 'kan ik het ook weer doorgeven?' luidt het antwoord: inderdaad, depressie is een ziekte die via de genen van ouder op kind kan worden doorgegeven.
Maar nu de andere kant van het verhaal. Wat iemand in zijn jeugd en verdere leven meemaakt is minstens zo belangrijk als het erfelijke materiaal waarmee hij is uitgerust. Wie als kind opgroeit met een moeder die voortdurend ziek is en regelmatig aan depressies lijdt, met alle daarbij behorende narigheid, kan onbewust het idee ontwikkelen dat het 'normaal' is om depressief te zijn. Het leren tijdens onze jeugd bestaat voor een groot deel uit afkijken: je ziet en onthoudt hoe onze ouders en andere voor jou belangrijke volwassenen zich gedragen. Op deze wijze kun je als het ware depressief gedrag aangeleerd krijgen. Als je je later als volwassene ook depressief gaat gedragen, is het dus de vraag

of dit een gevolg is van 'depressieve genen' of van het onbewust imiteren van een slecht voorbeeld.

In de praktijk is het verschil tussen aangeboren en aangeleerd – men gebruikt hiervoor wel de Engelse termen 'nature' en 'nurture' – niet zo absoluut. Beide processen spelen een rol.

Welke adviezen kunnen we u nu het beste geven met het oog op de opvoeding van uw eigen kinderen? De volgende:

adviezen voor de opvoeding

- Bedenk dat de erfelijke factor nooit zó zwaar weegt dat een deskundige ouders zal afraden om kinderen te krijgen.
- Kinderen kunnen tegen een stootje. Als u vanwege een depressie een tijdlang minder goed voor ze heeft kunnen zorgen dan u zou willen, kunnen de gevolgen achteraf best meevallen. Kinderen voelen als het ware door uw depressie heen wat u echt voor ze voelt. En wanneer u zich weer beter voelt, halen ze hun schade dubbel en dwars in.
- Het is belangrijk welk voorbeeld u hun geeft. Iedereen gunt u en uw gezin natuurlijk een leven van louter rozengeur en maneschijn, maar zo werkt dat in de praktijk niet. Het als gezin samen meemaken, bevechten en overwinnen van tegenslagen, zoals een depressie van een van de ouders, vormt een wezenlijke ervaring voor kinderen. Ze leren ervan en staan sterker als hen later onverhoopt ook een dergelijke ramp overkomt.
- Ten slotte dit: depressie is een zeer veel voorkomende ziekte en uw kinderen kunnen er in de toekomst ook last van krijgen, of ze de aanleg daartoe nu van u geërfd hebben of niet. Er zijn zó veel mogelijke oorzaken dat niemand ze allemaal kan voorkomen. Maar een belangrijk verschil is wel dat de behandelmogelijkheden voor u al veel gunstiger zijn dan in de tijd van uw moeder. En men verwacht dat deze gunstige ontwikkeling de komende jaren zal doorzetten. Depressie wordt als ziekte steeds vaker in een vroeg stadium herkend en is ook met een steeds beter resultaat te behandelen.

Voordat we ons buigen over uw persoonlijkheid een beknopte biologische theorie: de mens is een ingewikkeld organisme dat voortdurend in staat van oorlog is met zijn omgeving. Van alle kanten wordt het gezonde evenwicht (= homeostase) bedreigd: door heel veel verschillende zaken, zoals honger en kou, aanvallen van virussen, van andere dieren, van medemensen. Alles wat door onze hersenen wordt gezien als een bedreiging van het gezonde evenwicht ervaren wij als 'stress'. Emotioneel staat het systeem ook onder druk. Een mens heeft vanaf het allereerste begin, eigenlijk al van vóór de geboorte, allerlei basisbehoeften, zeker op emotioneel gebied (veiligheid, geborgenheid, liefde, geaccepteerd worden zoals je bent). Als daar niet aan wordt voldaan levert dat ook stress op. En deze stress wordt door onze hersenen 'vertaald' in onlustgevoelens, in angst, in somberheid of een combinatie daarvan. Later in ons leven kunnen we dingen meemaken die door de hersenen vergeleken worden met die oudste bronnen van stress – met als gevolg dat we opnieuw angst of depressie voelen.

Persoonlijkheid

Persoonlijkheid is ook weer zo'n veelgebruikte term die niet zo makkelijk is uit te leggen. Wat is persoonlijkheid? Hetzelfde als karakter? Het gaat er om hoe iemand ís en hoe iemand vanbinnen in elkaar zit. Dat kun je niet zien – je kunt er geen foto van maken – maar je komt er bijvoorbeeld achter door te kijken hoe iemand reageert, hoe iemand zich gedraagt in bijzondere omstandigheden. De één loopt bij een brand hard weg, de ander gaat het gebouw binnen om nog iemand, met gevaar voor eigen leven, te redden: een kwestie van *karakter*. Karakter is het kenmerkende, eigenaardige van iemand (en trouwens ook van íets), zegt ons woordenboek). Depressieve mensen hebben geen speciaal, 'afwijkend' karakter. Maar hoe meer karakter je hebt, hoe sterker je persoonlijkheid is, hoe steviger je in je schoenen staat, hoe beter je jezelf kent en weet wat je wel en niet aankunt,

depressieve mensen denken te negatief over zichzelf

hoe beter je opgewassen bent tegen stress. En stress zorgt voor depressie. Daarom is een deel van de behandeling van depressie er ook op gericht om mensen zelfkennis bij te brengen. Depressieve mensen denken te negatief over zichzelf, ze vinden zichzelf waardeloos en verdwijnen het liefst van de aardbodem. Dat is de oplossing natuurlijk niet en daar doen we iets aan: door mensen te leren om oog te hebben voor hun eigen positieve kwaliteiten. En zijn ze ergens niet goed in, dat moeten ze dat leren accepteren, of ze moeten er iets aan doen. Een mens is nooit te oud om te leren. Een depressie biedt, zoals eerder gezegd, ook kansen. Kansen om er beter uit tevoorschijn te komen. Door aan jezelf te werken bijvoorbeeld.

Dysthymie

Er is een vorm van depressie die we 'dysthymie' of 'dysthyme stoornis' noemen. Het is een vorm van depressie die minder heftig lijkt dan de depressieve 'episode' die ieder mens kan overkomen. Maar het gemene zit erin dat deze depressieve stemmingsstoornis veel langer duurt en meestal al van jongs af aanwezig is. Mensen met dysthymie zijn zó lang achter elkaar – chronisch – depressief (al is hun depressie dan minder diep en kunnen ze er nog enigszins mee leven) dat het op den duur toch erg zwaar

depressieve persoonlijkheidsstoornis

wordt. Ze kunnen zich niet herinneren hoe het zonder depressie is. De ziekte is een deel van hun persoonlijkheid geworden en sommige deskundigen spreken van een 'depressieve persoonlijkheidsstoornis'. Als oorzaak ziet men een combinatie van erfelijke aanleg en slechte omstandigheden in de ontwikkeling in de jeugd. De behandeling bestaat uit dezelfde medicijnen die bij een 'gewone' depressie worden gegeven en uit een meestal langdurige vorm van psychotherapie.

Omstandigheden

Mensen zijn geen tere poppetjes, ze kunnen wel wat hebben. Het vermogen om opgewassen te zijn tegen moeilijkheden noemen we *draagkracht*: de kracht die een persoon heeft om tegenslagen te verdragen. De hoeveelheid tegenslag, problemen, handicaps en andere bronnen van stress die iemand op zijn levenspad tegenkomt noemen we de *draaglast*. Als de last kleiner is dan de beschikbare kracht, is er niets aan de hand. Omgekeerd kan de last te groot en te zwaar worden, en dan gaat het mis. Die persoon komt onder steeds grotere druk te staan en dreigt te bezwijken. Meestal ontstaan er klachten bij iemands zwakste punt, zoals een ketting ook breekt bij de zwakste schakel. De één krijgt een maagzweer, de ander hartklachten of gaat aan de drank. En heel veel mensen worden angstig of depressief.

draagkracht en draaglast

Iedereen maakt vroeg of laat dingen mee waardoor je uit je evenwicht kunt raken. Verraderlijk zijn gebeurtenissen of omstandigheden die lang voortduren. Voorbeeld: je bent dag in dag uit bezig je zieke moeder of partner te verzorgen. Jarenlang. Dat sloopt je weerstand. En als er dan nog iets vervelends bijkomt – je raakt je baan kwijt of wordt op straat in elkaar geslagen, of je ziet dat een groepje jongelui je fiets vernielt – dan is opeens de maat vol. Wannéér dat gebeurt kan voor ieder mens anders liggen. We hebben allemaal onze gevoeligheden en kwetsbare punten.

Tegenover dit soort stress veroorzakende zaken staan ook de beschermende factoren. Als je je veilig voelt in je relatie, een goed contact hebt met vrienden, ouders en kinderen, sta je sterker in je schoenen (dat vergroot je draagkracht). Maar als het hard genoeg waait valt zelfs de sterkste boom om. Met andere woorden: iedereen kan depressief worden.

Er zijn geen omstandigheden waarvan iedereen per definitie depressief wordt. Een voorbeeld is gedwongen werkeloosheid: je solliciteert overal, maar je komt nergens aan de slag. Uit onderzoek blijkt dat je hier meer last van hebt, dat je er depressief en zelfs suïcidaal van kunt worden, wanneer blijkt dat je de enige bent – de enige in de buurt, de straat of in de familie. Ga maar eens naar een verjaardag waar iedereen succesverhalen ophangt en jij als enige alleen maar slecht nieuws hebt.

iedereen kan depressief worden

Ontslag is daarentegen (veel) minder erg wanneer het een massaontslag betreft, wanneer een fabriek failliet gaat. Natuurlijk is dat ook een ramp, maar je hoeft je er persoonlijk niet minder waard door te voelen: het overkomt een heleboel mensen. Het is ook gemakkelijker te verteren wanneer in jouw wijk erg veel werkloze mensen wonen of wanneer bijna iedereen in jouw familie een uitkering heeft. De mens is een sociaal wezen en hij vergelijkt zichzelf dan ook graag met de mensen om zich heen. En het is extra pijnlijk als je het slechter doet dan je broer, je buurman met zijn 'irritante' nieuwe auto, de buitenlanders die 'hier hun hand komen ophouden'.

de kunst is om niet in de negatieve emotie te blijven steken

De kunst is nu om niet in de negatieve emotie te blijven steken. Het maakt ook niet uit of je door pure pech in de problemen bent geraakt, door onrechtvaardigheid of door je eigen schuld (meestal is het van alles wat). Het gaat erom te kijken naar je eigen inbreng, naar wat je er zelf aan kan doen. Neem even de tijd om stoom af te blazen, flink te mopperen en iedereen de schuld te geven van jouw ongeluk. Stem desnoods één keer op die populistische partij, maar pak jezelf dan weer bij elkaar en zet je schouders eronder, met of zonder hulp van anderen. Je leeft maar één keer en jij bent de enige die voor dat leven verantwoordelijk is en die er iets aan kan doen.

NB: Je broer worstelt zonder dat jij het weet al jaren met een alcoholprobleem; je buurman heeft die auto gekocht uit frustratie, omdat hij al jaren ongewild kinderloos is, en die buitenlanders… Neem maar van mij aan dat die het als groep een stuk zwaarder hebben dan jij. Ze hebben zich meer moeten aanpassen, worden overal met de nek aangekeken, zitten klem tussen hun orthodoxe familietradities en de eisen van het moderne westerse leven. Onder deze groep komt gemiddeld vaker depressie voor, heel dikwijls voortkomend uit allerlei psychosociale stress ('psychosociaal' wil zeggen dat je psychisch reageert op slechte sociale omstandigheden, zoals armoede, een slechte woning, slechte werkomstandigheden enzovoort).

Het verhaal van Dirk – teleurstelling tot de dood erop volgt?

Dirk, metselaar van beroep, vijfendertig jaar oud, was jarenlang gelukkig getrouwd; nu ja, tamelijk gelukkig, laten we het niet mooier maken dan het is, of was. Want zijn vrouw, Lisa, is twee jaar geleden overleden. Na een ziekbed van vijf jaar verloor ze de strijd tegen de leukemie. Dirk was er kapot van. Hij had verdriet, maar voelde ook woede. Hij was kwaad op alles en iedereen: op de dokters die zijn Lisa aan haar lot hadden overgelaten, op hun vrienden die de laatste maanden niet meer langs waren gekomen, op zijn baas die geen enkel begrip had gehad voor zijn zieke vrouw. Integendeel, hij was telkens kwaad geworden als Dirk weer eens met Lisa naar een specialist moest. 'Dat kost je je vakantiedagen,' schreeuwde hij dan, waarop Dirk op een gegeven moment zomaar ontslag had genomen. De mensen van de sociale dienst begrepen daar weer niets van en hadden hem geen uitkering gegeven: had hij maar niet zelf zijn ontslag moeten nemen. Daarom moest hij eerst zijn bescheiden eigen huis 'opeten', ook al betaalde hij aan hypotheek minder dan anderen aan huur – de zoveelste onrechtvaardigheid.

In deze heftige periode van rouw, met allerlei bijkomende zorgen en emoties, werd hij door zijn huisarts naar de RIAGG (Regionale Instelling voor Ambulante Geestelijke Gezondheidszorg) gestuurd. Ggz heette dat tegenwoordig. Wat hij daar moest doen wist hij niet, 'maar vooruit'. Richard, de SPV die hem onder zijn hoede kreeg, hield lange gesprekken met hem en liet hem stoom afblazen. Via de teampsychiater wilde Dirk wel met een kuurtje antidepressiva beginnen.

Tot zijn verbazing ging het de maanden daarna geleidelijk wat beter. Hij raakte emotioneel minder snel van slag. Hij had minder vaak woedeaanvallen, minder vaak plotselinge huilbuien. Hij begon weer wat lichtpuntjes te zien. Van het geld van de overlijdensverzekering kocht hij een zwarte BMW uit de 5-serie. Dat zou Lisa gewaardeerd hebben. Een veel te dure auto voor hem, maar nu een mooi aandenken aan haar. Niet veel later sloot hij zich aan bij een groep voor nabestaanden: gedeelde smart. En daar zat Gerda. Ook in de rouw. Ze trokken steeds meer samen op, ook buiten de groep, en om een lang verhaal kort te maken: ze gingen samenwonen. Dat was niet zo eenvoudig, want Dirk had geen eigen geld meer en Gerda wel. Zij kocht een huis voor hen beiden en als tegenprestatie zou Dirk, die toch nog geen werk had, fulltime de boel netjes opknappen.

Een jaar later was het huis zo goed als af. Alleen het laatste schilderwerk moest nog gedaan worden. Intussen had de nieuwe relatie flink geleden onder de gedwongen samenwerking. Dirk was al niet overdreven verliefd geweest en Gerda was niet zoals Lisa. Maar: 'oké, het ging ermee door en alleen is ook niet alles'. De kleine spanningen uit het begin werden steeds grotere wrijvingen en toen barstte de bom. Dirk kon niet 'netjes schilderen. Hij verprutste haar huis. Eigenlijk kon hij maar beter vertrekken'. En dat deed Dirk dan ook – hij had ook zijn eergevoel.

Nu is hij terug bij Richard, zijn hulpverlener. Hij vertelt met nauwelijks ingehouden woede wat hem allemaal is overkomen. Richard heeft hem eerder goed geholpen, het is een goede vent, maar Dirk weet dat Richard uiteindelijk niets voor hem kan doen. Hij kan hem geen geld geven, niet aan een huis en ook niet aan werk helpen. 'Jammer Richard, ik weet dat jij ook niets voor me kan doen, maar ik vond het wel zo netjes om je te vertellen dat ik vandaag of morgen met mijn BMW tegen een viaduct knal. Dan is iedereen van me af.'

Commentaar op het verhaal van Dirk

Wat zou u doen, als u de behandelaar van Dirk was? Is hij depressief of gewoon pisnijdig? Voelt hij zich aan de kant gezet, na alles wat hij voor Gerda gedaan heeft? Gaat hij echt een einde aan zijn leven maken? En hoe voelt het voor Richard, deze agressieve boodschap? Een hulpverlener is ook maar een mens. Richard voelt zich flink onder druk gezet, maar wil in elk geval in contact blijven – voorkomen dat Dirk in een impuls iets stoms doet. Hij zegt: 'Volgens mij ben je nu helemaal niet depressief – niet ziek in elk geval. Het is volkomen normaal dat je er de p... in hebt, dat je je afgewezen, miskend, gekrenkt voelt. Je zou het liefst iemand in elkaar rammen, om alle kwaadheid die in je is eruit te slaan. Maar daar ben je te beschaafd voor. Dan liever de BMW tegen een boom parkeren? Is dat wat je doet met de nagedachtenis aan Lisa? Je vond het toch een mooi symbool, dat je door haar dood die auto had gekregen? Wat wil je dat we op je grafsteen zetten: HIER LIGT DIRK, HIJ WAS BOOS?'

Natuurlijk kan Dirk een depressie krijgen. Het rouwproces na het overlijden van Lisa leek al verdacht veel op depressie en hij reageerde toen ook goed op de medicatie. Dat zou nog een keer te herhalen zijn. Maar de omstandigheden zijn nu dubbel zo zwaar als toen. Nu is hij voor de tweede keer door een vrouw in de steek gelaten. En hij deed zo zijn best.

Hoe het afloopt ligt niet alleen aan de omstandigheden, maar ook aan het karakter van Dirk. Kan hij deze klap er nog bij hebben? Laat hij zich sturen door Richard? Wil hij opnieuw een kuur doen met pillen? Of kiest hij in een opwelling voor het einde?

VRAAG: *Kan mijn depressie samenhangen met de overgang? Waarom overkomt mij dit?*

ANTWOORD: U stelt een korte vraag die echter vraagt om een uitgebreid antwoord. Depressie is een complexe psychiatrische stoornis. Met complex wordt bedoeld dat de depressie veel gezichten kan hebben; dat wil zeggen dat de ziekte er bij iedere patiënt net weer wat anders uit kan zien. En naast de verschijningsvorm is ook de oorzaak complex. De ziekte wordt niet door één ding veroorzaakt, maar het gaat om een optelsom van factoren die ieder op zich een duwtje geven in de richting van depressie en die gezamenlijk verantwoordelijk zijn voor de ziekte zoals die er in een bepaald geval uitziet.

Het is bekend dat hormonale veranderingen ook een depressie kunnen veroorzaken. Bij vrouwen hebben we het dan speciaal over de menstruatiecyclus (het ongesteld worden), de hormonale veranderingen rond een zwangerschap en ten slotte het proces van de menopauze of overgang.

hormonale veranderingen kunnen een depressie veroorzaken

Soms is het opspelen van de hormonen op zichzelf al voldoende om een depressie uit te lokken, maar meestal spelen nog andere zaken een rol. In het geval van de overgang hebben we het vaak over 'faseproblematiek'. Een vrouw met kinderen verlaat rond die tijd als het ware de fase in haar leven waarin zij kinderen kreeg en deze vervolgens verzorgde en opvoedde. Doordat de kinderen geleidelijk het huis uitgaan, verandert het werk van moeder en huisvrouw van karakter en datzelfde geldt voor het werk buitenshuis – voor de vrouw én haar partner. Veel mensen komen rond deze periode in de VUT, gaan met vervroegd pensioen of raken werkloos met, gezien hun leeftijd, extra weinig kans op werkhervatting. De klap van dit soort levensfaseproblematiek komt nog harder aan wanneer er andere dingen niet goed gegaan zijn. Denk aan ongewenste kinderloosheid, aan slepende conflicten met familieleden, aan mislukte relaties, aan frustrerende werksituaties.

Hoe de veranderingen op hormonaal gebied, die gepaard gaan met de zich wijzigende omstandigheden rond het ingaan van de volgende levensfase, door een individu worden ervaren, varieert: hoe is in het algemeen uw instelling tegenover het leven? Bent u een zwartkijker of een binnenvetter, iemand die niet goed voor zichzelf kan opkomen? Of bent u iemand die problemen als uitdagingen ziet die u in goed vertrouwen en met open vizier tegemoet treedt? Hebt u genoeg hobby's, sociale contacten en tijd voor uzelf om af en toe op adem te komen of juist niet? Al dit soort vragen kunt u zelf het beste beantwoorden om daarmee tot een antwoord te komen op uw eigen vraag: 'Waarom overkomt míj dit?'

Als u er niet uitkomt, als de gewone bezigheden en normale contacten met familie en vrienden u niet uit uw depressieve stemming kunnen halen, dan is het raadzaam om professionele hulp te gaan zoeken.

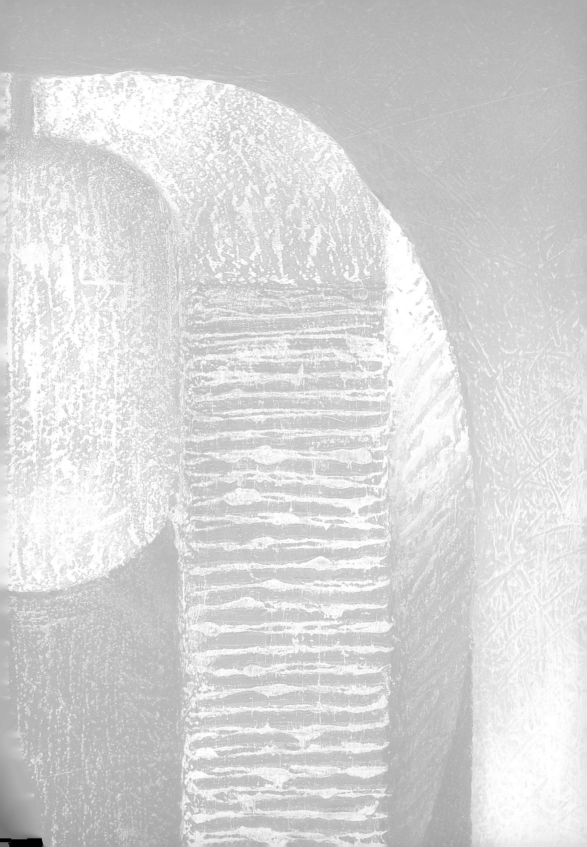

Depressie:
goed te behandelen

Zoals we hebben gezien, is depressie een verzamelnaam voor verschillende vormen van depressieve stemmingsstoornissen. En omdat mensen zo sterk van elkaar verschillen in tal van eigenschappen (in vaktaal: de 'premorbide persoonlijkheid', dat wil zeggen de persoon zoals hij was voordat hij ziek werd), mogen we verwachten dat een depressieve stoornis er bij verschillende mensen ook anders uitziet. Dit maakt dat het niet altijd even eenvoudig is om de diagnose met zekerheid te stellen. Zeker wanneer patiënten met allerlei lichamelijke klachten naar hun huisarts gaan, kan het even duren voordat arts en patiënt op het juiste spoor zitten. Hier ligt overigens ook een taak voor de samenleving: goede voorlichting over ziektebeelden zoals depressie helpt. De ziekte wordt eerder herkend en er kan in een vroeger stadium met een goede therapie worden begonnen. En dat is lonend, zeker bij depressie, want de ziekte is meestal goed te behandelen. De twee belangrijkste vormen van behandeling zijn 'pillen en praten'. Officieel heet dat farmacotherapie en psychotherapie. Deze worden hieronder uitvoerig besproken, waarna nog enkele andere therapievormen aan bod komen.

pillen en praten

Farmacotherapie

Er is de laatste jaren grote vooruitgang geboekt op het gebied van de medicamenteuze behandeling of farmacotherapie, dat wil zeggen de behandeling met *farmaca*: geneesmiddelen, medicijnen, pillen. Momenteel beschikt de medische wetenschap over een groot arsenaal aan *antidepressiva* (antidepressieve geneesmiddelen), waarmee grofweg zeventig tot tachtig procent van alle depressieve patiënten voor meer dan de helft van hun klachten afgeholpen kan worden. Meestal is er zelfs sprake van een nagenoeg volledig herstel. Dat is niet slecht als je het vergelijkt met andere lastige ziekten, zoals hoge bloeddruk, diabetes, astma en vul maar aan. Overigens moeten om dit gunstige resultaat te bereiken vaak heel wat verschillende middelen 'uitgeprobeerd' worden.

grote vooruitgang op het gebied van behandeling met medicijnen

Op theoretische gronden en vanuit de ervaring van de voorschrijvende arts wordt een eerste middel gekozen. Wanneer dat onvoldoende werkt zal hij overstappen op een ander medicijn. Het loont ook dan de moeite om verder te gaan en een derde of vierde middel, of een combinatie te proberen. Helaas valt niet aan de buitenkant zien, of in het bloed te meten, welk medicijn voor welke patiënt de meeste kans van slagen heeft. Het is voorlopig nog '*trial and error*': proberen met vallen en opstaan.

MAO-remmers en tricyclische antidepressiva

Zolang er depressieve mensen rondlopen is al, op allerlei manieren, geprobeerd om hen van hun stoornis af te helpen, met brouwsels, pillen en kruiden. Soms met kwalijke gevolgen, soms zonder effect; nu eens met goed gevolg door de kracht van suggestie, dan weer met iets uit de natuur dat echt werkt. Een voorbeeld van het laatste is het sint-janskruid, dat dezelfde werkzame stof bevat als moderne antidepressiva (SSRI, zie verderop).

eind jaren vijftig werden voor het eerst medicijnen voorgeschreven waarvan de werking op depressie wetenschappelijk was aangetoond

Eind jaren vijftig van de vorige eeuw werden voor het eerst medicijnen voorgeschreven waarvan de werking op depressie wetenschappelijk was aangetoond. Dit waren de zogenoemde MAO-remmers (MAO is een afkorting van monoamino-oxidase, een enzym waarvan de werking moet worden tegengegaan). De bekendste merknamen waren Parnate® en Nardil®, die af en toe nog steeds worden toegepast. Deze middelen werken uitstekend tegen depressie, maar het gebruik is tamelijk riskant. Tien jaar later werd een nieuwe groep van medicijnen ontdekt, die de 'tricyclische antidepressiva' worden genoemd. Veel van deze middelen worden nog steeds voorgeschreven. Bekende voorbeelden zijn Tryptizol®, Anafranil®, Imipramine en Nortrilen®.

Om het ingewikkeld te maken hebben alle geneesmiddelen twee namen: één naam zoals de fabriek het middel gedoopt heeft (de merknaam, vaak te herkennen aan de toevoeging ®), en de chemische naam, waarmee wordt aangegeven welke werkzame stof er in de pil zit (de stofnaam of generieke naam). Anafranil® bijvoorbeeld is de merknaam en clomipramine die van het werkzame bestanddeel. Dat is soms lastig omdat de werkzame stof door verschillende firma's gemaakt kan worden, onder verschillende merknamen; vooral in andere landen heten dezelfde medicijnen vaak anders.

bijwerkingen

Deze groep van tricyclische antidepressiva is nog steeds in gebruik. Ze werken vaak net iets beter dan de modernere middelen, maar het probleem zit in de bijwerkingen. Die zijn in verhouding hinderlijker en soms gevaarlijker; we hebben het dan over bloeddrukwisselingen, gewichtstoename, sufheid, duizeligheid, hoofdpijn, misselijkheid. Wie af en toe een bijsluiter bestudeert kan vaststellen hoe veel verschillende bijwerkingen er kunnen voorkomen. Per geneesmiddel noemen we dat een *profiel*. Een medicijn heeft dan een *werkingsprofiel* (hoe werkt het) en een *bijwerkingenprofiel* (welke bijwerkingen komen veel voor). Bij het kiezen van een nieuw medicijn moet men met beide profielen rekening houden.

Samenvattend: de MAO-remmers worden alleen in uitzonderlijke gevallen nog door een specialist gegeven. De 'ouderwetse' tricyclische middelen werken uitstekend tegen depressie, maar worden minder goed verdragen dan de hierna te bespreken nieuwere middelen. Een bijkomend voordeel is wel dat deze middelen ook in het bloed gemeten kunnen worden. Dat heet 'de bloedspiegel bepalen'. Als iemand niet erg reageert op een goede dosis antidepressiva valt in het bloed na te gaan of hij of zij wel voldoende van dat middel krijgt voorgeschreven. Bij de nieuwere middelen kan dat niet.

VRAAG: *Hoe werkt de geneesmiddelenindustrie?*

ANTWOORD: Een ziekte als depressie is 'populair' bij de geneesmiddelenindustrie. Dat klinkt raar, maar het zit zo. Aan een ziekte die veel voorkomt en waar veel mensen in de wereld medicijnen voor willen slikken, kun je in principe veel geld verdienen. Daarom doet iedere geneesmiddelenfirma veel onderzoek naar mogelijke nieuwe medicijnen tegen depressie. En regelmatig komen er inderdaad nieuwe geneesmiddelen beschikbaar, die net iets beter werken dan hun voorgangers, of die net wat minder bijwerkingen hebben, of die voor bepaalde vormen van depressie net iets meer doen.

aan een ziekte die veel voorkomt kan veel geld worden verdiend door de geneesmiddelenindustrie

Ieder nieuw middel dient zeer uitvoerig getest te worden. Het moet absoluut veilig zijn en uiteraard doen wat het belooft te doen. Als dat onderzoek met succes is afgerond, komt de volgende hobbel. Ieder land, ook Nederland, heeft van overheidswege een commissie die beoordeelt of het nieuwe middel wel iets toevoegt aan wat we al hebben. Aan de ene kant is iedereen blij met elke verbetering, maar aan de andere kant houdt de commissie ook veel nieuwe middelen tegen. Onder het motto 'wat we al hebben is goed genoeg voor de mensen'. Soms is het nieuwe middel echt geen verbetering, maar soms gaat het gewoon om het geld. De nieuwe medicijnen zijn een stuk duurder dan de oude geneesmiddelen, de 'nieuwe' medicijnen van vroeger die intussen goedkoop mogen worden nagemaakt.

Als een nieuw geneesmiddel pas in gebruik is genomen mag het namelijk nog niet worden nagemaakt. Dan heeft de fabriek die het heeft uitgevonden het alleenrecht daarop. Dat heet het *patent*. Dat duurt meestal een jaar of zeven en in die tijd moet de industrie geld zien te verdienen aan dat middel. Dat geld is nodig om de fabriek te laten draaien, om de aandeelhouders tevreden te houden en zeker ook om onderzoek te bekostigen naar nieuwe medicijnen. Na zeven jaar vervalt het patent en wordt het medicijn in allerlei landen veel goedkoper nagemaakt. En de Nederlandse wetgeving is zo ingericht, dat uw apotheek u automatisch de goedkoopste variant verstrekt van het werkzame medicijn dat uw dokter u voorschrijft – behalve wanneer hij op het recept schrijft: 'medische noodzaak'. Het komt namelijk voor dat iemand goed reageert op middel A, maar minder goed op het merkloze medicijn dat later ergens anders op zogenaamd exact dezelfde wijze wordt geproduceerd. Hij heeft alleen baat bij het oorspronkelijke A-middel en heeft last van het namaakmiddel.

patent

In de praktijk maken dokters dat inderdaad mee en het is verstandig om de patiënt dan serieus te nemen en het recept aan te passen.

De laatste jaren staan de geneesmiddelenfirma's (de farmaceutische industrie) in een kwade reuk. De media maken hen graag verdacht. Ze zouden onterecht veel geld verdienen, over de hoofden van de arme patiënten. Ze zouden onderzoeksresultaten vervalsen om hun middel te bevoordelen. De werkelijkheid zal ongetwijfeld genuanceerder zijn. Zoals onze wereld thans is ingericht zijn we afhankelijk van deze industrie, omdat we nu eenmaal ziek worden en medicijnen nodig hebben. Het onderzoek naar nieuwe medicijnen wordt voornamelijk gedaan door de industrie. Het kost zo gigantisch veel geld, dat de overheid daar niet de middelen voor heeft. Natuurlijk moet er steeds gewaakt worden tegen misbruik, overconsumptie, te hoge prijzen. Aan de andere kant dreigt een te kritische, krampachtige houding van de overheid de ontwikkeling van nieuwe geneesmiddelen in de weg te staan. Bedenk dat de kosten voor medicijnen slechts een klein onderdeel vormen van de totale kosten van de gezondheidszorg, en dat Nederland, vergeleken met andere Europese landen, in verhouding weinig medicijnen per hoofd van de bevolking gebruikt. Tussen industrie en overheid is, net zoals tussen behandelaar en patiënt, hét sleutelwoord: samenwerking. Alle partijen moeten oog hebben voor hun gedeelde belang – de bevordering van de gezondheid van de zieke medemens – en proberen over belemmerende bijgedachten en vooroordelen heen te stappen.

onderzoek naar nieuwe medicijnen

De tricyclische middelen werken goed tegen depressie, maar hun bijwerkingen zijn behoorlijk en soms gevaarlijk. Je moet ze goed volgens voorschrift innemen. Een handje extra als je een heel slechte dag hebt kan beroerd aflopen. Maar ook in de juiste dosis worden ze vaak slecht verdragen. Dat neemt niet weg dat er vele duizenden levens gered zijn door deze medicijnen en dat ze ook nu nog goed werk doen en regelmatig worden voorgeschreven als hun modernere zusjes tekortschieten.

revolutie in de antidepressiva rond 1980

De revolutie in de antidepressiva kwam rond 1980 met het beroemde (later beruchte) drietal: Fevarin®, Prozac® en Seroxat®. Wie kent ze niet? De komst van deze medicijnen sloeg in als een bom. Deze middelen waren 'absoluut veilig', iedereen kreeg ze voorgeschreven die maar even een keer somber durfde te kijken. Huisartsen kregen meer zicht op depressie, en beleefden er meer 'plezier' aan, want depressie was nu een kwaal waar ze zelf, met hun nieuwe geneesmiddelen, iets tegen konden doen. Het gevolg was dat depressie nu vooral een 'huisartsenziekte' is: tachtig procent van de patiënten wordt in 'de eerste lijn' behandeld; naar de psychiater worden alleen diégenen doorgestuurd bij wie de diagnose depressie niet eenduidig is of bij wie complicaties de behandeling bemoeilijken. Het kan ook zijn dat de standaard-behandeling die de huisarts biedt, onvoldoende effect sorteert.

Deze middelen, waar er later nog diverse bijkwamen (Zoloft®, Cipramil®, Lexapro®) werden als groep de ssri's genoemd: selectieve serotonine heropnameremmers. Serotonine is een stof die in de hersenen zorgt voor allerlei belangrijke taken die nodig zijn om niet depressief te worden. Serotonine is een *neurotransmitter*, een 'boodschapperstof', die ervoor zorgt dat allerlei delen van ons zenuwstelsel op een goede manier met elkaar communiceren (het 'serotoninesysteem'). Dokters zeiden in die tijd tegen hun patiënt: 'u hebt gebrek aan een stofje in uw hersenen, serotonine; daarom bent u zo depressief en dat gaan we oplossen met deze serotoninetabletjes', of iets dergelijks. En met redelijk veel succes. Naast de serotonine werd nog een ander stofje ontdekt met een vergelijkbare werking, de neurotransmitter noradrenaline. Sommige geneesmiddelen, de snri's, werken op beide systemen, vandaar de S en de N in de naam; voorbeelden: Efexor®, Cymbalta®, Remeron®.

serotonine is een neurotransmitter

Populariteit kan gevaarlijk zijn. Dat geldt voor mensen, maar ook voor medicijnen. Na twintig jaar en miljoenen tevreden gebruikers begon het tij te keren. 'Hoe komt het dat een miljoen (!) Nederlanders antidepressiva slikt en dat er nog net zoveel mensen depressief zijn als vroeger? En dat er ook nog net zoveel mensen zich van het leven beroven?' Een begrijpelijke vraag en het debat over die vraag wordt heftig gevoerd door wetenschappers die elkaar in de haren vliegen omdat ze het onderling ook niet eens kunnen worden. Waarschijnlijk is het zo dat heel veel mensen deze medicijnen onnodig voorgeschreven hebben gekregen, en dat heel veel mensen ze níét hebben gekregen terwijl zíj er juist veel voordeel van zouden hebben gehad. De 'politiek' klaagt er vooral over dat al die recepten zoveel geld kosten. Verder zijn de mensen als consument steeds kritischer geworden. De ssri's en snri's zijn wel veilig, maar je wordt er vaak dik en suf van, en met de seks gaat het minder goed. Voor iemand die zwaar depressief is gelden deze bezwaren minder. Alles is beter dan die ellendige depressie door te maken. Maar de (zeer) vele anderen die minder gebukt willen gaan onder hun problemen – in plaats van ze op te lossen – klagen over de bijwerkingen.

Nieuwe geneesmiddelen

De wetenschap zit niet stil. Er wordt naarstig gezocht naar nieuwe stoffen die meer doen dan het biochemische evenwicht herstellen rond serotonine en noradrenaline. Er komen steeds weer nieuwe middelen op de markt die op zijn minst veelbelovend zijn. Behalve serotonine en noradrenaline blijken er meer biochemische stoffen een rol te spelen bij het ingewikkelde evenwicht rond onze stemming. Dopamine, melatonine en glutamine zijn daarvan bekende voorbeelden. Het middel Wellbutrin® werkt bijvoorbeeld vooral op het dopaminesysteem. Er zijn nu al meer dan zestig verschillende van deze neurotransmitters bekend. In theorie zouden er voor al deze stoffen medicijnen ontwikkeld kunnen worden die hun werking vergroten, verkleinen of bijsturen.

Inmiddels weten we dat depressie veel ingewikkelder in elkaar zit en dat er veel meer bij komt kijken dan het aanvullen of verminderen van één of twee stofjes. Behalve naar de werking van de neurotransmitters wordt naar andere factoren gekeken, zoals de rol van het circadiane ritme. Op dit vaste vierentwintiguursritme grijpt het nieuwe antidepressieve middel Valdoxan® aan. Dit middel verbetert volgens onderzoek al binnen één week het slaap/waakritme zodat de patiënt overdag actiever wordt en de somberheid geleidelijk afneemt. Zo zorgt de groter wordende wetenschappelijke kennis voor een gestage uitbreiding van onze farmaceutische mogelijkheden. Dat is een uitkomst voor mensen met een akelige depressie, die tot nu toe niet veel baat hebben gehad bij de bestaande middelen. Mensen die voor het eerst aan een depressie lijden, kunnen profiteren van de ontwikkelingen en starten met een middel dat goed werkt, maar minder bijwerkingen geeft.

gestage uitbreiding van farmaceutische mogelijkheden

> **VRAAG:** *Ik heb gehoord dat je verslaafd kunt raken aan kalmeringsmiddelen. Geldt dit ook voor antidepressiva?*

ANTWOORD: Mensen kunnen in principe aan alles verslaafd raken, maar bij medicijnen tegen depressie komt dat gelukkig niet of nauwelijks voor. Het maakt daarbij niet uit of iemand ze al jarenlang of pas enkele weken gebruikt. Dat komt omdat antidepressiva geen 'kick' geven. Ze werken tegen depressie, maar wanneer de klachten over zijn merkt men niet of men ze nog wel of niet meer slikt. Hoogstens zou de ex-patiënt zo bang kunnen zijn dat de klachten terugkomen, dat hij niet durft te stoppen met de medicijnen. Dat is meer een psychologisch probleem, waar samen met de behandelaar wel uit te komen is. In het verleden kregen sommige mensen die aan depressie leden kalmeringsmiddelen (tranquillizers) – géén antidepressiva – voorgeschreven om de symptomen van angst en spanning tegen te gaan.

Kalmeringsmiddelen kunnen – evenals slaapmiddelen, alle van de biochemische familie van de *benzodiazepinen* – wel een verslavende werking hebben. Deze middelen kunnen nog steeds af en toe van waarde zijn, maar zij worden tegenwoordig met grotere zorgvuldigheid voorgeschreven, voor een beperkte tijd, en ze zijn ook minder vaak nodig. De nieuwe antidepressiva werken namelijk zowel gunstig op symptomen van depressiviteit als op symptomen van angst. En als de depressie opknapt gaat het met het slapen meestal ook direct beter.

> **Vraag:** *Komt het voor dat een antidepressief geneesmiddel na enige tijd zijn werking verliest of dat het niet meer werkt wanneer het opnieuw wordt gegeven?*

Antwoord: Er is geen wetenschappelijke, farmacologische verklaring voor, maar iedere arts heeft de ervaring dat een patiënt af en toe opnieuw depressief wordt, terwijl hij of zij – vaak al vele jaren – trouw de medicatie blijft gebruiken. De patiënt heeft het gevoel dat het middel is 'uitgewerkt', dat hij er immuun voor is geworden. Zelf heb ik meegemaakt dat een patiënt na tien jaar gebruik van een combinatie van tricyclische antidepressiva in een hoge dosering weer uiterst depressief was geworden. Tijdens een opname werd hij 'ontgift'; alle medicatie werd afgebouwd. Het verrassende resultaat hiervan was dat de depressie verdween. Een andere patiënt werd rond zijn twintigste jaar depressief. Hij reageerde goed op Anafranil® (clomipramine) en na een aantal stabiele, gezonde jaren adviseerde de arts om de medicatie af te bouwen. Na een halfjaar volgde een recidief (herhaling) van de depressie en deze keer reageerde patiënt niet meer op clomipramine – en in de daarop volgende jaren evenmin op enig ander antidepressivum. Dit soort ervaringen is zeldzaam, maar kan wel voorkomen, met elk middel. Aan de andere kant: uit onderzoek blijkt dat het blijven slikken van een middel, ook nadat de depressie is opgeklaard, het risico op een recidief met een factor zeven vermindert. Dat betekent dat je, als je van depressie bent hersteld, nooit zeker weet of de stoornis ooit terugkomt. De kans daarop is dus zeven keer zo klein als je met de medicijnen doorgaat. Natuurlijk moet per geval, in goed overleg tussen arts en patiënt, worden bekeken wat de beste strategie is. Alle voor- en nadelen dienen te worden afgewogen.

het blijven slikken van een middel vermindert het risico op een recidief

> **Vraag:** *Zwangerschap en medicatiegebruik bij depressie: gaat dat wel samen?*

Antwoord: Tijdens de hele periode van zwangerschap en borstvoeding (als die wordt gegeven) geldt dat hoe gezonder de moeder leeft hoe beter dat voor de baby is. Dat betekent: niet roken, geen alcohol en geen medicijnen. Maar ook: goed slapen en spanningen, ruzies en dergelijke vermijden. In de praktijk zal het zelden zo ideaal verlopen. Gelukkig is alles relatief. Een (ongeboren) baby is klein en kwetsbaar, maar kan wel tegen een stootje. De kans dat een baby onherstelbare schade oploopt omdat zijn moeder haar pillen is blijven gebruiken is in feite verwaarloosbaar klein. Er zijn wel medicijnen die een groot risico inhouden, maar daar horen de middelen tegen depressie niet bij. Bedenk dat een depressie van de moeder altijd schadelijker is voor de baby dan welk antidepressief middel ook. Voor de zekerheid moet de bevalling wel plaatsvinden in een ziekenhuis, waarna de pasgeborene wordt onderzocht door een kinderarts. En we geven het advies om liever geen borstvoeding te geven. Natuurlijk is het psychologisch gezien geen prettig idee om zoiets moois en natuurlijks als een zwangerschap te belasten met medicatiegebruik.

een zwangerschap maakt je niet immuum voor depressie

Maar wees terughoudend met stoppen. Een zwangerschap maakt je niet immuun voor depressie en de recidiefkans wordt er niet door verkleind. We weten ook dat veel vrouwen in het kraambed, na de bevalling depressief worden ('postpartumdepressie'), en dan verloopt het herstel beter als zij al de goede medicijnen gebruiken. Bespreek alle voor- en nadelen met de behandelend arts en neem samen een beslissing.

Psychotherapie

Zolang er mensen zijn bestaan er problemen en zeker ook psychische problemen. En altijd hebben mensen daarover met elkaar gepraat. Soms hielp dat gesprek hen een beetje verder. Gedeelde smart is halve smart. Maar wat we nu 'psychotherapie' noemen is eigenlijk pas begonnen met de beroemde Weense psychiater Sigmund Freud (1856-1939). Hij ontwierp de psychoanalytische theorie met een bijpassende behandeling. In zijn theorie zouden psychische klachten terug te voeren zijn op dingen die je als kind bewust of onbewust hebt meegemaakt. In zijn behandelmethode,

psychoanalyse

de *psychoanalyse*, werd dan ook veel tijd besteed aan het terughalen van herinneringen aan vroeger – vanuit de gedachte dat als je eenmaal weet waar een bepaalde angst (of andere emotie) vandaan komt, je daarmee geholpen bent (dat heet 'inzicht'). Als u in een ouderwetse film mensen op een divan ziet liggen praten, terwijl aan het hoofdeinde de therapeut geduldig luistert (of doet alsof), dan kijkt u naar een 'psychoanalytische sessie' (een sessie, letterlijk 'zitting', is een langdurige therapeutische bijeenkomst). Tegenwoordig vinden we de theorieën van Freud nog steeds waardevol, maar voor een doeltreffende behandeling bleken ze

gedragstherapie

toch niet voldoende. Rond 1960 werd de *gedragstherapie* ontwikkeld. Daarbij wordt niet lang stilgestaan bij wat er allemaal aan 'oude verhalen' in iemands hoofd rondspookt. Er wordt vooral gekeken naar hoe iemand zich hier en nu gedraagt. Het motto is: hoe je bent kunnen we niet veranderen (of dat gaat veel te veel tijd kosten), maar hoe je je gedraagt wél. Je kunt iemand niet beleefd maken, maar er wel voor zorgen dat hij zich beleefd gedraagt. Bij kinderen heet dat 'opvoeden'. Bij volwassenen 'trainen'. En bij patiënten met psychische problemen 'gedragstherapie'. Hier worden behoorlijk goede resultaten mee bereikt en voor sommige klachten is het nog steeds een goede aanpak.

Cognitieve therapie

De volgende grote doorbraak kwam met de *cognitieve gedragstherapie* (CGT), of kortweg *cognitieve therapie* (CT). Hierbij wordt niet het gewone gedrag aangepast, maar het 'denkgedrag': de manier waarop iemand denkt over allerlei aspecten van de werkelijkheid. Cognities zijn de – veelal onbewuste – ideeën en oordelen die mensen hebben over zichzelf, over hoe zij zich horen te gedragen, over hoe anderen tegen hen aankijken enzovoort. Depressie blijkt vaak te berusten op foutieve of gewoon 'onhandige' cognities, en in therapie wordt dan ook getracht deze bij te stellen, te herstructureren. Vergelijk het met een computer. De beste, modernste en duurste computer is helemaal niets waard als hij niet goed afgesteld, geprogrammeerd, is. En als er nieuwe software beschikbaar komt, moet de computer worden geherprogrammeerd. Bij mensen heet dat *psychotherapie*. Stel dat iemand in zijn jeugd steeds is uitgescholden door zijn ouders. Misschien dachten ze dat hij daar groot en sterk van zou worden, of het waren gewoon niet zulke fijne ouders. In elk geval, u komt daaruit tevoorschijn met allerlei negatieve gedachten over uzelf. U denkt dat u nergens goed in bent – dom, niet om aan te zien. In werkelijkheid valt dat waarschijnlijk reuze mee en tegenover minder goede eigenschappen staan weer prima kwaliteiten. Van ieder mens is wel iets positiefs te vertellen. Ieder mens kan gebruikmaken van zijn positieve capaciteiten en min of meer een gelukkig bestaan opbouwen. Maar soms gaat dat niet vanzelf: uw cognities zijn vervormd door een vervelende jeugd. En de oplossing is een vorm van 'herprogrammeren'. Dat gebeurt met behulp van psychotherapie of om preciezer te zijn: cognitieve therapie, waarbij de verkeerde cognities worden aangepakt, gecorrigeerd, geherstructureerd.

Regelmatig wordt de behandeling nog uitgebreid met vormen van *groepstherapie*, waarin bijvoorbeeld gewerkt kan worden aan assertiviteit (het vermogen om goed voor jezelf op te komen) en sociale vaardigheden (de kunst om je in gezelschap goed te gedragen).

De cognitieve gedragstherapie is sinds haar ontstaan voortdurend in ontwikkeling geweest. Er werden nieuwe therapievormen van afgeleid. Op dit moment zijn hiervan goede voorbeelden: rationeel-emotieve therapie (RET), schematherapie, interpersoonlijke therapie (IPT), *acceptance and commitment therapy* (ACT), *mindfulness* en *past reality integration* (PRI). U ziet, sommige vormen zijn nog zo nieuw dat er niet eens een Nederlandse naam voor is gevonden.

Het voert te ver om al deze nieuwe therapieën hier uitgebreid te bespreken. De genoemde therapievormen staan voor behandelingen waarvan de waarde vaststaat of die op zijn minst als veelbelovend mogen worden beschouwd. Als u meer wilt weten, zijn er in iedere goede bibliotheek of boekhandel geschikte boeken

cognities zijn de ideeën en oordelen die mensen hebben over zichzelf, over hoe zij zich horen te gedragen, over hoe anderen tegen hen aankijken enzovoort

vormen van cognitieve gedragstherapie

te vinden. U kunt ook eerst op internet gaan googelen. Voor u als (mogelijke) patiënt is het van belang om te weten dat de ontwikkeling niet stilstaat, dat er steeds gezocht wordt naar nieuwe methoden om een akelige ziekte als depressie aan te pakken – niet alleen met medicijnen, maar ook met nieuwe vormen van psychotherapie. En het einde is nog niet in zicht.

Overige behandelingen

Mensen zijn vindingrijk. Behalve behandelingen met medicijnen of met vormen van psychotherapie is er nog veel meer mogelijk. We noemen hieronder nog speciaal: de looptherapie, de lichttherapie en de behandeling met elektroshock.

Looptherapie

We hebben zó veel mogelijkheden: auto's, liften, roltrappen, bussen, treinen enzovoort dat we haast zouden vergeten dat mensen ook gewoon hun benen kunnen gebruiken. Om te lopen. Van lopen word je moe, maar het is wel een gezond soort moeheid – zolang je niet overdrijft natuurlijk. De wetenschap heeft ontdekt dat het menselijk lichaam een bepaalde stof gaat produceren wanneer we een tijdlang een bepaalde inspanning leveren. Dat gebeurt grofweg na twintig minuten hardlopen in een rustig tempo, dat wil zeggen met een hartslag tussen de 100 en 120 slagen per minuut. De stoffen die dan onder andere in het centraal zenuwstelsel worden afgescheiden, heten *endorfinen*, een soort hormonen; zij kunnen worden beschouwd als een door het lichaam zelf aangemaakt antidepressivum. Wie af en toe rustig een stukje jogt kan zelf ervaren hoe weldadig het kan aanvoelen.

endorfinen: door het lichaam zelf aangemaakt antidepressivum

Dan moet je natuurlijk wel eerst wat geoefend hebben, want voor niets gaat de zon op. Ook met zwemmen en andere bezigheden waarbij je je gedurende langere tijd op rustige wijze inspant treedt dit effect op. Tuinieren is bijvoorbeeld gezond. En voor wie het nog rustiger wil aanpakken: elke dag een halfuur wandelen in de buitenlucht is ook uitstekend en werkt antidepressief. Veel ggz-instellingen doen hun best om mensen over de drempel heen te helpen. 'Je gaat niet zomaar buiten in een trainingspak rondhollen.' Daarom hebben zij loopgroepen gevormd, waarmee ze looptherapie geven.

Lichttherapie

Als de dagen korter en de nachten langer worden, heeft dat op veel mensen een negatief effect. Bij sommigen gaat dat zo ver dat er van een echte depressie gesproken kan worden. Een winterdepressie met klachten als somberheid, prikkelbaarheid, futloosheid en toegenomen slaapbehoefte. Gebleken is dat lichttherapie vaak goed werkt. De patiënt neemt plaats voor een speciale medische lamp die 10.000 lux afgeeft. Dit licht werkt in via de ogen. Voor een goed resultaat moet u vijf dagen achtereen een halfuur per dag voor zo'n lamp zitten. Op veel plaatsen waar gewerkt wordt aan de geestelijke gezondheid is het mogelijk om dit soort behandeling te krijgen. Dergelijke lampen zijn ook voor particulieren in de handel. Let op de goede kwaliteitskenmerken en neem niet de allergoedkoopste. Een degelijk betrouwbaar model komt al snel op 150 à 500 euro. Soms zijn zij te huur voor thuisgebruik.

Lichttherapie helpt helaas niet voor alle vormen van depressie. Sommige 'gezonde' personen merken dat zij er iets actiever van worden en een enkele maal werkt het bij iemand averechts: er ontstaat dan een ontremd beeld met manische kenmerken. Om deze reden wordt geadviseerd om de lichttherapie, in elk geval de eerste keer, onder medische begeleiding te doen.

Het is uiteraard goedkoper, en ook effectief, om gebruik te maken van het zonlicht. Zelfs in hartje winter zijn er mooie zonnige uren. Het is een goed idee om er regelmatig op uit te trekken voor een wandeling. Het wandelen zelf zorgt voor gezonde beweging en ieder straaltje zon dat u daarbij oppikt is meegenomen.

Elektroconvulsietherapie (ECT)

Wie weleens een oude film heeft gezien waarin iemand in een psychiatrische kliniek terechtkwam, heeft kennis kunnen maken met elektroshocktherapie – ook wel elektroconvulsietherapie genoemd, meestal afgekort tot ECT. In de film zag je dan hoe iemand aan alle kanten stevig werd beetgepakt, in bedwang gehouden, terwijl er via een apparaat op zijn hoofd krachtige stroomstoten werden toegediend. Je ziet het slachtoffer hevig spartelen, met schuim op de mond en trekkingen met armen en benen, alsof hij aan epilepsie lijdt.

Zo rond 1940 had men het idee dat iemand niet tegelijk kon lijden aan schizofrenie (een zeer ernstige psychiatrische ziekte met waandenkbeelden en hallucinaties) en aan epilepsie (vallende ziekte). Daarom probeerde men om bij de schizofreniepatiënt een epilepsieaanval (= epileptisch insult met convulsies, stuipen) op te wekken. Dat werkte vreemd genoeg vaak wel. Maar de manier van werken was zo grof en angstaanjagend dat de methode in onbruik raakte, zeker toen er steeds betere medicijnen werden gevonden, die hetzelfde werk doen, maar op een 'schonere' manier.

De laatste tien à twintig jaar is er echter opnieuw belangstelling gekomen voor de ECT als behandeling. De methode is technisch volkomen vernieuwd. De patiënt wordt onder narcose gebracht, zodat hij niets merkt van de behandeling. Er wordt gedurende dertig tot zestig seconden een epileptisch insult opgewekt met slechts de hoeveelheid energie die bijvoorbeeld nodig is om een fietsachterlicht tien seconden lang te laten branden. Deze behandeling wordt meestal zes- tot twaalfmaal herhaald, onder strikte medische begeleiding. De belangrijkste bijwerking bestaat uit geheugenproblemen.

de methode is technisch volkomen vernieuwd

de ECT-behandeling is relatief succesvol

De ECT-behandeling is relatief succesvol bij de behandeling van depressie, maar het wordt wel beschouwd als een zwaar middel en wordt daarom vooral toegepast bij patiënten met zeer ernstige klachten, die niet op een andere behandeling reageerden, of bij patiënten die lichamelijk zo verzwakt zijn dat er direct iets moet gebeuren. Het gaat dan vaak om oudere patiënten die niet in een goede lichamelijke conditie zijn. Zij kunnen niet weken wachten totdat een antidepressief geneesmiddel gaat werken.

Veel psychiaters maken zelden of nooit gebruik van de mogelijkheid van ECT. In veel ziekenhuizen is de apparatuur ook niet aanwezig en dan moet een patiënt eerst overgeplaatst worden. Andere psychiaters daarentegen zijn zeer enthousiast over deze methode. Sommigen zeggen dat als zij zelf ooit depressief worden, ze dan het liefst deze behandeling zouden krijgen.

Al met al is ECT tegenwoordig een meer geaccepteerde behandelmethode geworden, die een plaats verdient wanneer andere behandelingen niet voldoen. Een bijzonderheid is nog dat patiënten die eerst niet goed reageerden op medicatie, na de ECT-behandeling wel goed gaan reageren op deze zelfde medicijnen. Dat is ook nodig, want een groot nadeel van de ECT is dat de helft van de patiënten na enige tijd opnieuw depressieve klachten krijgt.

> VRAAG: *Mijn dokter heeft me cognitieve therapie aangeraden ter behandeling van mijn depressie. Wat is dit voor therapie?*

ANTWOORD: Ieder mens heeft bepaalde gedachten – ideeën, meningen, opvattingen – over zichzelf, over de wereld om hem heen, over de toekomst en over de verbanden hiertussen. Dit soort opvattingen noemen we *cognities*. Veel van die ideeën kloppen; ze berusten op gezond verstand en op wat we meegemaakt en geleerd hebben. In vaktaal spreken we van 'reële' of 'realistische cognities'. Nu kunt u zelf bedenken dat wij mensen ook uitgerust zijn met allerlei irreële, niet-realistische cognities: misvattingen, vooroordelen, waangedachten. Meestal is dat niet zo erg. Niet iedereen hoeft alles tenslotte precies te weten, maar sommige verkeerde cognities kunnen grote schade berokkenen. Iemand kan bijvoorbeeld het idee hebben dat hij niet zoveel waard is en dat andere mensen hem alleen maar in hun midden accepteren als hij hun eerst iets geeft. Hij neemt altijd een cadeautje mee als hij op bezoek komt en geeft op de club de meeste rondjes. Een heel wat prettiger gezelschap dan zijn collega die juist het idee heeft dat hij geweldig is en dat iedereen blij zou moeten zijn met zijn aanwezigheid. Híj geeft nooit een rondje.

Beiden kunnen last krijgen van hun misplaatste opvattingen over zichzelf en over hoe ze zich in gezelschap moeten gedragen. Dit kan leiden tot conflicten met anderen, die maken dat ze zich onbegrepen voelen en die ook depressieve gevoelens bij hen in de hand kunnen werken.

Bij cognitieve therapie probeert de therapeut om samen met u de niet-realistische cognities op te sporen. En dan volgen er gesprekken en oefeningen om deze slechte cognities te corrigeren. Dat heet 'cognitieve reconstructie'. Een dergelijke reconstructie is vaak een belangrijk doel van psychotherapie en een uitstekende methode om depressie te bestrijden, dikwijls in combinatie met een behandeling met medicijnen. In de regel zijn hiervoor vijf tot twintig zittingen ('sessies') van ongeveer 45 minuten nodig. U raakt niet al uw irreële gedachten kwijt – we blijven tenslotte mensen en worden geen robots – maar u mag verwachten dat u uw depressie met veel meer succes zult kunnen bestrijden.

slechte cognities corrigeren

Multidisciplinaire richtlijn

Sinds 1994 verschijnt er om de zoveel jaar een zogenoemde multidisciplinaire richtlijn depressie. 'Richtlijn' wil zeggen dat in het desbetreffende document staat beschreven wat de gangbare behandelingen zijn van depressie. 'Multidisciplinair' staat voor 'veel' ('multi') verschillende beroepssoorten ('disciplines'). De overheid heeft ervoor gezorgd dat vakmensen met een verschillende achtergrond – huisartsen, psychologen, psychiaters – met elkaar om de tafel gaan zitten om te bepalen wat de beste behandelingen zijn – uiteraard aan de hand van de nieuwste wetenschappelijke inzichten en praktijkervaring. Het was niet gemakkelijk die eerste richtlijn op te stellen! Artsen en andere hulpverleners zijn behoorlijk eigenwijs. Iedereen heeft zijn eigen theorietjes en gewoonten. Maar voor de patiënt is het van belang dat hij de behandeling krijgt die de meeste kans op succes biedt. Iedere vakman of vakvrouw in ons land wordt geacht zich aan de richtlijnen te houden.

voor de patiënt is het van belang dat hij de behandeling krijgt die de meeste kans op succes biedt

Die richtlijnen zijn er dus voor depressie, maar ook voor de meeste andere veel voorkomende aandoeningen. Er is een groep vooraanstaande deskundigen gevormd ('Landelijke Stuurgroep Multidisciplinaire Richtlijnontwikkeling in de GGZ'), die van tijd tot tijd naar de richtlijnen kijkt en een nieuwe versie publiceert wanneer er nieuwe wetenschappelijke feiten zijn ontdekt en onze inzichten over wat de beste behandeling is moeten worden bijgesteld. In deze stuurgroep zitten overigens ook vertegenwoordigers van de patiënten.

Patiëntenversie

De laatste 'Richtlijn depressie' verscheen in december 2009. Het mooie is dat u nu als patiënt niet alleen meer kans heeft terecht te komen bij iemand die goed op de hoogte is van de laatste ontwikkelingen en die u 'volgens de regelen der kunst' een behandeling geeft, maar ook dat u dat zelf kunt controleren. Er bestaat namelijk een 'patiëntenversie' van deze richtlijn. Als u de moeite neemt om die door te lezen komt u veel algemene informatie tegen over het ziektebeeld depressie. Er staat ook in vermeld welke soort behandeling u mag verwachten. Gewapend met deze kennis kunt u het gesprek aangaan met uw behandelaar.

De patiëntenversie is te bestellen bij het Trimbos-instituut via de afdeling bestellingen, postbus 725, 3500 AS Utrecht, tel.: 030-2971180. U kunt de tekst ook lezen of downloaden via de volgende internetpagina:
http://www.ggzrichtlijnen.nl/uploaded/docs/AF0630Patienten-VRichtlDepressie.pdf

Nog een kleine kanttekening: die richtlijnen zijn mooi, maar bedenk dat het mensenwerk blijft. Ieder mens is anders – iedere patiënt, maar ook iedere arts. Dat maakt dat iedere behandeling een uniek product en dus maatwerk is. De richtlijn geeft wel veel houvast, maar een goede arts of psycholoog zal er regelmatig, om goede redenen, van afwijken. Die moet hij wel aan u kunnen uitleggen als u ernaar vraagt.

Depressie komt veel voor

Epidemiologie is de wetenschap die zich bezighoudt met statistisch onderzoek onder de bevolking op het gebied van ziekte (niet alleen besmettelijke) en gezondheid. Deze tak van wetenschap levert ons een deel van de kennis die nodig is voor het treffen van goede maatregelen om te voorkomen dat er een epidemie ontstaat of dat deze zich uitbreidt. Dat wil zeggen, als alles meezit. Ziekteverwekkers kunnen zoals bekend zeer hardnekkig zijn; vaak is er sprake van een wedloop tussen een nieuw kwaadaardig virus en de wetenschap die hiertegen tijdig een doeltreffend geneesmiddel of vaccin tracht te ontwikkelen.

Een epidemie is een zich verbreidende (besmettelijke) ziekte die in snel tempo veel slachtoffers maakt. Het kan gaan om een bescheiden zomergriep, maar ook om dramatisch verlopende explosies van tbc en cholera, of, in onze tijd, om de gekkekoeienziekte, de vogelgriep of de Mexicaanse griep. Ze komen tot ontwikkeling waar je bij staat. In alle heisa van de overspannen massamedia zou je haast vergeten dat het om serieuze wetenschap gaat.

De laatste jaren is de epidemiologie zich meer en meer gaan richten op de psychiatrische ziektebeelden (die overigens, voor zover bekend, niet besmettelijk zijn, al kan het soms wel zo lijken), met verrassende en zelfs schokkende resultaten. Uit allerlei onderzoek blijkt telkens weer dat psychiatrische stoornissen veel vaker voorkomen dan altijd werd aangenomen. Door de komst van grote, wereldwijd geaccepteerde diagnostische systemen (zoals de DSM-classificatie) kunnen verschillende bevolkingsgroepen en verschillende landen met elkaar worden vergeleken. Bij dit soort onderzoek worden er grote steekproeven genomen, waarbij duizenden mensen betrokken zijn – ongeacht of ze zelf klachten hebben of niet, of zij ooit een dokter hebben bezocht of niet. Deze mensen worden psychiatrisch 'gescreend', dat wil zeggen dat zij systematisch worden ondervraagd over allerlei klachten en verschijnselen die in verband staan met bepaalde ziektecategorieën. Soms vullen zij zelf één of meer vragenlijsten in; soms doet de onderzoeker dat. Op het terrein van de psychologie is er baanbrekend werk verricht om zulke vragenlijsten wetenschappelijk betrouwbaarder te maken. Een goede samenwerking van wetenschappers (medici, epidemiologen en psychologen, maar ook sociologen, statistici en anderen – leve de computer!) heeft

uit allerlei onderzoek blijkt dat psychiatrische stoornissen veel vaker voorkomen dan altijd werd aangenomen

onze kennis op psychiatrisch gebied onvoorstelbaar vergroot. Dit geldt misschien wel het meest voor het onderwerp van dit boek, depressie.

Bij epidemiologisch onderzoek bleek dat in onze westerse samenleving ongeveer vijftien procent van de bevolking één of meer keren in zijn of haar leven een depressieve periode doormaakt (twintig procent als we de dysthymie meetellen, wat eigenlijk zou moeten). De kans daarop is voor vrouwen tweemaal zo groot als voor mannen. Let wel, het gaat dan om een periode in iemands leven die gepaard gaat met klachten die voldoen aan de DSM-criteria voor depressie. De cijfers zijn nog schokkender wanneer we het totaal van psychiatrische aandoeningen gaan tellen: volgens deze onderzoeksmethode komt men op percentages die aangeven dat per jaar maar liefst twinig tot dertig procent van de bevolking te kampen heeft met een psychiatrische stoornis die ernstig genoeg is om professionele hulp te rechtvaardigen. Verreweg het vaakst komen depressie en andere stemmingsstoornissen, angststoornissen en verslavingen voor.

Al met al gaat het om buitengewoon veel mensen, terwijl in ons land de voorzieningen voor geestelijke gezondheidszorg (ggz) slechts berekend zijn op ongeveer vijf procent patiënten/hulpvragers op dit gebied. Hoe meer potentiële patiënten zich melden bij de loketten van de ggz, hoe drukker het daar zal worden. Het gevolg: steeds langere wachttijden en een verlies aan kwaliteit van de geboden zorg. Men schat dat slechts de helft van alle depressieve mensen zich bij de huisarts meldt; en deze zou vervolgens in een groot deel van de gevallen geen (juiste) diagnose stellen.

depressie en andere stemmingsstoornissen, angststoornissen en verslavingen komen het vaakst voor

Twee kampen

Na de eerste schokgolf over deze onverwacht grote aantallen is er een tendens waar te nemen dat de maatschappij zich in twee kampen verdeelt. Eén groep is geneigd om te roepen dat het zo'n vaart niet loopt: zó ziek kan onze samenleving domweg niet zijn en depressie is volgens een epidemiologisch DSM-onderzoek niet hetzelfde als 'gewoon' aan een depressieve ziekte lijden. Anderen tonen zich meer bezorgd: 'geen wonder dat onze moderne stressmaatschappij zoveel slachtoffers maakt; naast de velen die aan de strenge DSM-depressiecriteria voldoen moeten nog tientallen procenten opgeteld worden van anderen die misschien niet genoeg 'punten halen' voor de eenduidige diagnose depressie, maar er wel dicht tegenaan zitten. Misschien móet je in onze wereld wel enigszins geestelijk gestoord zijn om nog een beetje gezond te kunnen functioneren...'

In de eerste groep 'sussers' bevinden zich uiteraard politici, financiers en zorgverzekeraars, die de bui al zien hangen: nóg meer geld naar de gezondheidszorg, en dan ook nog naar de geestelijke gezondheidszorg. Men vreest de bodemloze put. In de tweede groep zijn er ook belanghebbenden te vinden: de geneesmiddelenindustrie die op volle toeren draait, evenals – bij gebrek aan professionele capaciteit – het leger van al dan niet integere kruidendokters, magnetiseurs, handopleggers en andere alternatieve 'genezers'. In beide groepen treffen we ook veel oprecht betrokken wetenschappers, beleidsmakers, medici en andere professionals aan – en niet te vergeten: heel veel depressieve mensen. Want hoe men de resultaten van het moderne onderzoek ook interpreteert, één ding wordt door niemand betwist: depressie is een ernstige ziekte, waaraan buitengewoon veel mensen lijden.

depressie is een ernstige ziekte, waaraan buitengewoon veel mensen lijden

De gevolgen van depressie zijn ingrijpend

De discussie over het voorkómen van geestelijke *on*gezondheid in onze maatschappij in het algemeen en depressie in het bijzonder lijkt wel wat op die over het fileprobleem. Iedereen is het erover eens dat dit laatste een groot probleem is en vindt al jaren dat er 'direct' iets aan moet worden gedaan. Het bezorgt ons als individu veel ongezonde stress, het berooft werkgevers van kostbare arbeidsuren en families van onmisbare gedeelde 'kwaliteitstijd' ('Pappie is al weer te laat voor het avondeten'). Financieel-economisch gezien lijden wij met ons allen jaarlijks een miljardenverlies. En toch verandert er weinig: de files op onze wegen groeien de laatste twintig jaar gestaag en lijken zich weinig van al onze goedbedoelde maatregelen aan te trekken. Het wachten is nu weer op de kilometerheffing.

enorme gevolgen voor de samenleving

Op vergelijkbare wijze, maar nog met minder harde cijfers te bewijzen, valt aan te nemen dat het grote percentage depressieve klachten onder de bevolking enorme gevolgen moet hebben voor de samenleving als geheel. Depressieve mensen werken soms niet (ziektewet, WAO, WIA, WW) of zijn binnen hun werksituatie minder productief, zowel kwantitatief als kwalitatief. Ze presteren niet zoveel als wanneer ze gezond zouden zijn of leveren werk af van mindere kwaliteit. Ook zijn ze eerder geneigd af te zien van een cursus. Ze missen promotiekansen. Kortom, er komt niet uit wat er in zit. Het ziekteverzuim en de werkloosheid kosten miljarden op jaarbasis, nog afgezien van al het niet in geld uit te drukken leed en de gederfde uren geluk, waarbij behalve de depressieve mensen zelf ook allen in hun omgeving in meerdere of mindere mate slachtoffer zijn.

De depressieve mens kampt met een overvloed aan sombere gevoelens en gedachten en kan doordat hij eigenlijk niet mag afgaan op zijn eigen stemming, tijdens een depressieve periode veel verkeerde beslissingen nemen. Het grootste gevaar – zelfmoord – is al eerder besproken. Maar er is ook zonder die extreme 'oplossing' veel sluipende ellende die minder opvalt en ongemerkt heel veel kost. Depressie is een ernstige ziekte. Waarschijnlijk zou het ook in financieel opzicht veel opleveren als we de depressie steviger zouden aanpakken: sneller opsporen en beter behande len, volgens de laatste stand van de wetenschap. Artsen zijn niet gewend om op deze 'economische' manier te denken. Zij zien in hun praktijk patiënten die het zwaar hebben en proberen daar wat aan te doen. Maar ook zij worden in onze maatschappij gedwongen om veel in geld uit te drukken.

Wereldwijde ziektelast

De WHO (Wereldgezondheidsorganisatie) heeft een wereldwijd onderzoek gedaan naar aandoeningen met een hoge 'ziektelast' (dat wil zeggen ziekten die de maatschappij veel kosten). Volgens dit onderzoek staat depressie tegen het jaar 2020 op de tweede plaats. Op plaats één staan dan hart- en vaatziekten, op plaats drie verkeersongelukken en op vier cerebrovasculaire ziekten (herseninfarct, -bloeding; in het gewone spraakgebruik 'beroerte' genoemd). Depressie lijkt op zich misschien minder ernstig, maar de kosten zijn heel hoog omdat de stoornis zoveel voorkomt en omdat mensen er jarenlang aan kunnen lijden. Men schat dat op dit moment 350 miljoen wereldburgers aan depressie lijden. Dit feit weerspreekt overigens de wel gehoorde opvatting dat depressie een welvaartsziekte zou zijn. Juist derdewereldlanden hebben er veel last van, omdat daar veel minder medische mogelijkheden zijn.

depressie is geen welvaartsziekte

In ons land staat depressie, als 'kostbare' ziekte, op de zesde plaats, en wel omdat bij ons de behandelmogelijkheden groter zijn dan in veel andere delen van de wereld. Maar ook hier zou een economisch onderzoek kunnen aantonen dat het een goede investering zou zijn om meer uit te geven aan de psychische gezondheidszorg, en zeker aan de bestrijding van depressie. Het is heel jammer voor al die depressieve mensen in ons land (en in alle andere 'beschaafde' landen), dat de politiek er zo weinig aandacht voor heeft. Een land krijgt natuurlijk de politiek die het verdient, een politiek die zich laat leiden door de heersende gevoelens. Jammer genoeg zijn de overheersende emoties van deze tijd achterdocht en afgunst. Wij zijn te zeer bezig de verantwoordelijkheid voor alles wat ons niet bevalt buiten onszelf te leggen. Zoals een voetballer die zijn slechte wedstrijd wijt aan de fouten van de scheidsrechter, een hebberige belegger die zijn verliezen niet wenst te accepteren, tot de verdwaasde aanhanger van een politieke partij die voor het gemak maar hele bevolkingsgroepen de zwartepiet toeschuift. Een bijna vergeten spreekwoord heeft het over 'de hand in eigen boezem steken'.

Therapietrouw is belangrijk

Onder therapietrouw wordt de mate verstaan waarin de patiënt de medische en andere adviezen opvolgt die hem door de behandelaar zijn gegeven. Het is een betrekkelijk nieuw begrip dat past bij het groeiende inzicht dat patiënt en arts (of een andere behandelaar) een samenwerkingsrelatie hebben. Hierin hebben zij beiden een eigen rol, een eigen verantwoordelijkheid met eigen rechten en plichten. Vroeger werd er gemakshalve maar van uitgegaan dat de patiënt wel braaf de voorschriften van zijn dokter zou opvolgen. Maar uit onderzoek bleek dat dat behoorlijk tegenvalt. Een voorbeeld: iedereen weet dat hoge bloeddruk (hypertensie) op den duur zeer slecht is en zelfs levensbedreigend kan zijn. Er bestaat goede medicatie tegen, die redelijk goed wordt verdragen; toch blijkt vijftig procent (!) van de patiënten al na een halfjaar deze medicijnen niet meer volgens voorschrift, of zelfs helemaal niet meer in te nemen. Datzelfde geldt voor alle medicijnen die lang achter elkaar, en soms levenslang, moeten worden gebruikt: middelen tegen suikerziekte, schildklierlijden of astma. In de psychiatrie geldt dat uiteraard ook: medicijnen tegen depressie, angst, psychose. Naast het ontwikkelen van steeds betere medicijnen voor de trouwe gebruiker, zouden behandelaars meer hun best moeten doen voor al die mensen die niet zo trouw hun medicijnen slikken, bijvoorbeeld door nog betere informatie te geven en nog uitvoeriger uit te leggen waarom de medicijnen belangrijk zijn. Uiteindelijk heeft de patiënt zelf natuurlijk het laatste woord.

behandelplan

Tegenwoordig hoort het tot goed vakmanschap wanneer de behandelend arts samen met zijn patiënt een zogenoemd *behandelplan* opstelt. Daarin liggen de afspraken vast over de aard van de behandeling, de duur, de te verwachten effecten enzovoort. De patiënt zet (letterlijk of figuurlijk) samen met de behandelaar zijn handtekening onder dit plan. Dat betekent dat de patiënt medeverantwoordelijk is voor de uitvoering ervan. Wanneer hij tabletten vergeet in te nemen of bepaalde adviezen niet kan of wil opvolgen, moet hij dat bespreken en eventueel samen met de arts het behandelplan bijstellen.

Wat mogen wij, alles bij elkaar, verwachten van de verschillende partijen die betrokken zijn bij een moderne behandeling van een depressieve stoornis?

• De overheid dient de randvoorwaarden te (doen) scheppen die nodig zijn voor een goede algemene gezondheidszorg, waarbinnen de ggz en de huisarts een speciale positie innemen.

• De arts (specialist, huisarts) dient uiteraard zijn vak te verstaan, nieuwe ontwikkelingen te volgen en een goede werkrelatie op te bouwen met zijn patiënt. Zo nodig verwijst hij naar een collega of een andere hulpverlener, of zet hij zijn patiënt op het spoor van bijvoorbeeld het arbeidsbureau of een atletiekvereniging.

• De patiënt moet bereid zijn zich te laten onderzoeken en adviseren; hij moet beter willen worden en daar zijn eigen bijdrage aan willen leveren, in overleg met zijn behandelaar en alle andere betrokkenen.

• De omgeving moet de patiënt een eerlijke kans geven om te

herstellen en de draad van het leven weer op te pakken; dit geldt voor de werkgever, evenals de eventuele partner en andere intimi.
- Wij dienen met ons allen nog meer ons best te doen om af te rekenen met onterechte vooroordelen over psychische (psychiatrische) aandoeningen in het algemeen en over depressie in het bijzonder.

Het verhaal van Kelim – de kunst van het overleven

Kelim is nu achtenvijftig jaar. Hij is zakelijk succesvol, woont in een mooi huis en verdient goed. Hij heeft twee gezonde kinderen van eenentwintig en drieëntwintig jaar oud. Zijn vrouw Sara is tien jaar geleden onverwachts overleden aan een akelige ziekte. Het gezin heeft zich daar zo goed en zo kwaad als het ging doorheen geslagen. Natuurlijk was het een zware tijd. Kelim had nauwelijks tijd om aan zijn verdriet toe te komen, want de kinderen hadden hem heel hard nodig en ook zijn bedrijf ging gewoon door. Hij had op Sara's sterfbed beloofd dat hij alles zou doen om hun kinderen er doorheen te slepen. En nu ze zo'n beetje volwassen zijn en het redelijk goed met hen gaat, voelt hij een zekere tevredenheid, een rust over zich heenkomen die het verdriet om Sara weliswaar niet wegneemt, maar wel milder, draaglijk maakt. Het echte probleem zit in zijn vader, hoe zij als vader en zoon met elkaar omgaan. De ouders van Kelim zijn oorlogsslachtoffers. Ze zijn geboren in Polen en kwamen rond 1942 in verschillende vernietigingskampen terecht. Als door een wonder hebben ze het alle twee overleefd. Kort na de oorlog vonden ze elkaar terug en trouwden ze. Ze besloten Polen en alle vreselijke herinneringen daar achter zich te laten en belandden in Nederland. Kelim herinnert zich vol warmte zijn moeder. Ze hield niet alleen van hem – en hij van haar – maar ze liet geen gelegenheid onbenut om hem dat te laten voelen. Hoe anders verliep het contact met zijn vader. In diens ogen leek het of hij nooit iets goed kon doen. Vader en moeder hadden ook veel ruzie en als Kelim, zo klein als hij was, probeerde zijn moeder te beschermen, kreeg hij klappen en werd hij het huis uitgezet, al was het midden in de nacht en goot het van de regen. Kelim besloot op zijn achtste jaar niet meer met zijn vader te praten en hield dat zeven jaar vol. Toen ging hij in een andere stad naar school, een internaat.

Geleidelijk kwam hij erachter dat hij wel slim was en best wat kon. Hij haalde zijn diploma's en kreeg een goede baan – maar nooit een compliment van zijn vader. Deze bleef hem als oud vuil behandelen als Kelim af en toe thuiskwam om zijn moeder op te zoeken. Hoewel het ogenschijnlijk goed ging met Kelim, zeker toen hij in Sara een lieve vrouw vond en later met haar twee kinderen kreeg, bleef de druk van zijn vader – zozeer dat hij er meer dan gewoon somber van werd.

Een dokter zei hem dat hij aan een depressie leed. Pillen hielpen wel een beetje, maar een psychiater die hij had opgezocht, vond dat pillen alleen niet voldoende waren. De oorzaak lag ergens in de slechte relatie met zijn vader en hij kreeg de opdracht om uit te gaan zoeken wat daar mogelijk achter lag. Op een dag, toen Kelim bij zijn ouders thuis naar oude schoolfoto's zocht, vond hij een schoenendoos vol met andere foto's. En daarop stond een andere jongen, samen met zijn ouders. Vader knuffelde die andere jongen, die er vreemd gebocheld uitzag. Tot zijn verrassing zag hij een foto waarop de jongen samen met hemzelf stond. Hij moest toen een jaar of twee oud zijn geweest, maar hij kon zich er niets van herinneren. Natuurlijk vroeg hij zijn ouders wat die doos met foto's te betekenen had.

Dit is het verhaal dat hij te horen kreeg: een jaar na hun huwelijk was Adam geboren, de jongen van de foto, de broer die hij vergeten was. Adam was een schitterend knulletje van wie iedereen veel hield, vooral de vader. Hij was intelligent, altijd goed gehumeurd, een modelkind. Alleen, hij leed aan een aangeboren spierziekte, waardoor hij steeds verder gehandicapt raakte. Er was niets tegen te doen geweest en toen Adam acht jaar oud was overleed hij. Kelim was toen twee jaar. Vanaf die dag werd er in het gezin nooit meer over Adam gesproken. Het was taboe om zijn naam zelfs maar te noemen. Kelim begon te begrijpen dat het om de een of andere reden zíjn schuld was, omdat hij wél leefde en zijn broer Adam niet. Of misschien had zijn vader nooit de kracht kunnen opbrengen om ook van zijn tweede zoon te gaan houden, uit angst dat hij die misschien ook zou verliezen: een soort zelfbescherming.

Toen moeder enige tijd later, vijf jaar na Sara, overleed, besloot Kelim om zijn oude vader bij zijn gezin te laten inwonen. Deze bleef een knorrige, oude man voor wie niets goed genoeg was. Hij leek zich ook weinig aan te trekken van zijn kleinkinderen en ging volledig zijn eigen gang. Kelim bleef zijn best doen om goed voor zijn vader te zorgen en probeerde telkens weer, maar vergeefs, met hem te praten. Zelf bleef hij met onverwerkt verdriet zitten en was regelmatig somber gestemd. Want als alles in je leven je meezit, maar je eigen ouders, of in dit geval je eigen vader, blijven je steeds het gevoel geven dat je niet deugt, dan kan dat heel belastend zijn en ligt depressie voortdurend op de loer.

Op een dag was er in het dorp waar zijn ouders vandaan kwamen een grootscheepse reünie georganiseerd voor alle mensen die het concentratiekamp hadden overleefd. Kelim ging erheen met zijn vader. Dat moest ook wel, want zijn vader werd steeds gebrekkiger en had een rolstoel nodig. Kelim merkte dat van de ongeveer vijfhonderd aanwezigen die de kampen hadden overleefd, er grofweg vierhonderdvijftig waren zoals zijn vader. Ze mopperden voortdurend, hadden geen zichtbaar plezier in het leven, alsof ze sinds hun bevrijding nog steeds bezig waren hun gram te halen en de schuld voor wat hun was aangedaan te verhalen op iedereen die in hun buurt kwam. In zo'n vijftig mensen herkende hij iets van zijn moeder. Zij was vanaf het begin blij geweest dat het leven haar een nieuwe kans had gegeven. Ze had met volle teugen van haar nieuwe bestaan genoten. Ook al was het in een ander land en moest ze een andere taal leren en hard werken, zij stond opgewekt en positief in het leven. Kelim bedacht dat wat hij bij zijn vader had meegemaakt, misschien wel voor alle mensen gold die een verschrikkelijke periode in hun leven hebben meegemaakt. De meesten blijven erin steken en verhalen het kwaad dat hun is aangedaan op onschuldige anderen. Gelukkig slaagt een kleine groep mensen er wel in om de draad weer op te pakken, zoals zijn moeder. Zij putten juist kracht uit hun nieuwe kans.

Na de reünie groeide bij Kelim begrip voor zijn vader, zonder dat ze er veel woorden aan wijdden. Heel geleidelijk lukte het hun om af en toe wat over moeder en over de oorlog te praten, en op een dag stelde vader tot zijn verrassing voor om samen naar het graf te gaan. Het graf van moeder en ook dat van Adam. Samen stonden ze daar lange tijd. Kelim zag dat zijn vader tranen in zijn ogen had – dat had hij nog nooit bij hem meegemaakt. Ze keken elkaar aan en omhelsden elkaar, waarbij beiden hun tranen lieten lopen. Eindelijk. Na die gebeurtenis ging het thuis wat beter. Vader bleef wel de knorrige oude man, maar hij toonde af en toe enige belangstelling voor zijn kleinkinderen en als Kelim het bijna niet kon zien, wierp hij hem een liefdevolle blik toe. Voor Kelim was dat genoeg om vrede te sluiten met zichzelf en met zijn verleden. Hij leerde het verlies van moeder en van zijn vrouw te verdragen en zijn somberheid verdween steeds meer naar de achtergrond.

Commentaar op het verhaal van Kelim
Veel mensen hebben afschuwelijke dingen meegemaakt. De Tweede Wereldoorlog met zijn concentratiekampen was natuurlijk helemaal verschrikkelijk. Maar uit recent onderzoek blijkt dat ook in deze tijd maar liefst tachtig procent van de mensen zegt

dat ze minstens éénmaal in hun leven iets buitengewoon schokkends hebben meegemaakt. Van hen krijgt ongeveer tien procent daar last van. We noemen dat een *posttraumatische stressstoornis* (PTSS) – een ingewikkelde manier om te zeggen dat ze jaren later nog steeds 'met de ramp rondlopen'. Ze dromen ervan, denken er steeds aan terug, vermijden om er aan herinnerd te worden (maar dat lukt meestal niet) en hebben last van angstklachten en somberheid. Die klachten treden vooral op wanneer het slachtoffer meent dat hem of haar persoonlijk onrecht is aangedaan. Een natuurramp is gemakkelijker te accepteren dan doelbewuste menselijke wreedheid.

Het gevaar daarbij is om te blijven steken in wrok en haat. Dat is heel voorstelbaar, maar je komt er niet verder mee en je verpest je eigen leven – of wat daar van over is – en dat van mensen voor wie je belangrijk bent. Het is begrijpelijk en goed invoelbaar dat de vader van Kelim zo lang ongelukkig is gebleven, zeker nadat zijn eerste zoon op zo dramatische wijze overleed. Maar het valt niet goed te praten dat hij zijn woede en verdriet heeft afgewenteld op onschuldigen: op zijn vrouw, op Kelim, en zelfs op de kinderen van Kelim, zijn kleinkinderen. Gelukkig kwam het in zijn geval op het einde van zijn leven nog een klein beetje goed. En dat was vooral goed voor Kelim. Hij kampte jarenlang met depressieve gevoelens, het idee dat hij tekortschoot, dat hij niet deugde, ook al had hij voor het oog van de wereld nog zoveel succes. Onbewust gaf hij zichzelf de schuld van de dood van zijn moeder, van zijn onbekende jonggestorven broer en later mogelijk ook van zijn vrouw. Het is bekend dat iemand altijd het meest gevoelig blijft voor invloeden uit zijn kindertijd: hoe vader of moeder met je omging. Kelim bleef tegen beter weten in steeds proberen om de goedkeuring en de liefde van zijn vader te krijgen. Hij heeft zichzelf geholpen door zijn vader in huis te nemen, hoe moeilijk dat ook was, door mee naar de reünie te gaan en vooral door eindeloos geduld te blijven houden. Na die bevrijdende huilpartij braken ook voor Kelim betere tijden aan.

> **VRAAG:** *Waarom bestaat depressie eigenlijk nog steeds, is het ergens goed voor?*

ANTWOORD: Aan het einde van dit boek een terechte vraag. Het simpele feit dat depressie een aandoening is die door de eeuwen is blijven bestaan, vormt een uitdagende aanwijzing dat deze ziekte op de een of andere manier van nut moet zijn. De natuur moet daar toch een bedoeling mee gehad hebben? Vanaf dit punt kan de fantasie gemakkelijk op hol slaan. Sommigen hebben het idee dat mensen tijdens hun depressie zorgvuldiger zijn en minder fouten maken. Volgens anderen staat dit haaks op de realiteit: juist depressieve mensen maken slechte keuzes, waarbij de keuze om uit het leven te stappen het meest schrijnend is. Iedere verantwoordelijke behandelaar adviseert zijn patiënten om zich in een depressieve periode vooral te onthouden van ingrijpende beslissingen (echtscheiding, koop of verkoop van huis en dergelijke).

Een meer voor de hand liggende verklaring is dat depressie ooit een waardevolle reactie was tijdens het evolutieproces: voor holbewoners is het verstandig om zich in tijden van voedselgebrek en kou letterlijk terug te trekken en vooral geen energie te verspillen: om een soort winterslaap te houden tot er betere tijden aanbraken. Het was een reactie die in ons tijdperk niet meer zo geschikt lijkt. Of toch wel? Af en toe een pauze inlassen, een stapje terug doen om later een beter resultaat te behalen? Wij huldigen het principe van 'ieder nadeel heeft zijn voordeel'; ook zonder theoretische verklaringen zijn wij in staat om van de nood een deugd te maken. Met een beetje geluk kan iemand sterker uit zijn depressie tevoorschijn komen dan hij erin ging, maar laten wij dit ziektebeeld niet romantiseren. Depressie is en blijft vooral een toestand die zwaar en ellendig is.

een soort winterslaap

Met naam en toenaam

Overzicht van in Nederland op recept verkrijgbare geneesmiddelen die gebruikt worden bij de behandeling van depressie. Uitgebreide informatie over elk middel kunt u vinden op www. apotheek.nl. Hierbij kunt u zowel zoeken op naam van een bepaald medicijn (klik op 'Zoek een medicijn' en typ vervolgens de naam van het te zoeken medicijn), als op de hele groep medicijnen die bij een depressie gebruikt kunnen worden (klik op 'Zoek op klacht of ziekte', en typ vervolgens 'depressie').

Klassieke antidepressiva

Werkzame stof	Merknaam	Toedieningsvorm
amitriptyline	Amitriptyline	tablet
	Sarotex	retard capsule
	Tryptizol	tablet
clomipramine	Anafranil	tablet
		retard tablet
	Clomipramine	tablet
		retard tablet
dosulepine	Prothiaden	capsule
		dragee
doxepine	Sinequan	capsule
imipramine	Imipramine	capsule
		dragee
maprotiline	Maprotiline	tablet
nortriptyline	Nortrilen	tablet

Tweede generatie antidepressiva

Werkzame stof	Merknaam	Toedieningsvorm
citalopram	Cipramil	druppelvloeistof
		tablet
	Citaprolam	tablet
duloxetine	Cymbalta	capsule
escitaprolam	Escitaprolam	tablet
	Lexapro	druppelvloeistof
		tablet
fluoxetine	Fluoxetine	capsule
		tablet
	Prozac	oplostablet
fluvoxamine	Fevarin	tablet
	Fluvoxamine	tablet

Werkzame stof	Merknaam	Toedieningsvorm
mianserine	Mianserine	tablet
	Tolvon	tablet
mirtazepine	Mirtazepine	oplostablet
		tablet
	Remeron	oplostablet
		tablet
paroxetine	Paroxetine	tablet
	Seroxat	siroop
		tablet
sertraline	Sertraline	tablet
	Zoloft	oplossing
		tablet
trazodon	Trazolan	tablet
venlafaxine	Efexor	capsule
	Venlafaxine	capsule
		tablet

MAO-remmers

Werkzame stof	Merknaam	Toedieningsvorm
moclobemide	Aurorix	tablet
	Moclobemide	tablet
phenelzine	Nardelzine*	tablet
tranylcypromine	Parnate *	tablet

Overige antidepressiva

Werkzame stof	Merknaam	Toedieningsvorm
agomelatine	Valdoxan	tablet
bupropion	Wellbutrin	tablet

(* in Nederland niet meer geregistreerd)

Gebruikte termen

Ambulante behandeling Behandeling waarbij de patiënt niet is opgenomen in een ziekenhuis of een andere medische instelling voor dag en nacht. Dit heet ook wel *extramurale zorg* (letterlijk 'buiten de muren'); dit in tegenstelling tot *intramurale* of *klinische zorg*.

AMW Algemeen Maatschappelijk Werk.

Angststoornis Psychiatrisch ziektebeeld waarbij er letterlijk iets gestoord is op het gebied van de angst.

Antidepressiva Groep van geneesmiddelen tegen depressie.

APZ Algemeen Psychiatrisch Ziekenhuis.

Bipolaire stoornis Psychiatrische ziekte, waarbij zich afwisselend perioden van depressie en overmatige activiteit (manie) kunnen voordoen.

Cognities Het geheel van gedachten, opvattingen en interpretaties van (een gedeelte van) de werkelijkheid. Voorbeeld: een minderwaardigheidsgevoel berust in de regel op onjuiste waarnemingen of op verkeerd geïnterpreteerd feitenmateriaal; in zulke gevallen is er sprake van gestoorde cognitie.

Cognitieve therapie Een afgeleide vorm van gedragstherapie, waarbij niet het direct waarneembare gedrag wordt aangepakt, maar het 'denkgedrag', de cognities. Er wordt onderzocht welke verkeerde cognities, welke onjuiste opvattingen van de werkelijkheid een gezond psychisch functioneren van de patiënt in de weg staan – met de bedoeling om daar iets aan te veranderen uiteraard.

Communicatie De uitwisseling van gedachten, mededelingen en emoties tussen mensen.

Criteria Regels waaraan voldaan moet worden om binnen een bepaalde categorie te vallen. Kenmerken die bij een diagnose voor een bepaald ziektebeeld horen.

Depressie Somberheid, neerslachtigheid, gedrukte stemming. Verwarrend is dat in de vaktaal vaak de term 'depressie' gebruikt wordt voor het ziektebeeld dat volledigheidshalve 'depressie in engere zin' of 'depressieve (stemmings)stoornis' heet, terwijl in de gewone spreektaal met 'depressie' álle mogelijke vormen van somberheid kunnen worden bedoeld, dus ook de 'gewone', niet-ziekelijke.

Depressie in engere zin / Depressieve stoornis / Depressieve stemmingsstoornis Psychiatrische ziekte waarbij (volgens internationaal afgesproken criteria) minstens twee weken lang een depressieve stemming bestaat die het normale dagelijkse leven verstoort en waarbij nog ten minste vijf andere verschijnselen aanwezig zijn, zoals slechte eetlust, energieverlies, slaapproblemen, gespannenheid, angsten, schuldgevoel, concentratieproblemen, verminderd zelfgevoel, denken aan de dood, dwanggedachten, verlies aan seksuele interesse of psychotische verschijnselen. Voor een exacte beschrijving van alle criteria zie de desbetreffende versie van de DSM.

Diagnose De wetenschappelijke formulering waarmee een arts zijn opvatting weergeeft over wat er in medisch opzicht bij een bepaalde patiënt aan de hand is.

DSM *Diagnostic and Statistical Manual of Mental Disorders.* Het boek c.q. het classificatiesysteem op basis waarvan de diagnose bij psychiatrische ziektebeelden kan worden gesteld. Er bestaande verschillende edities, die met Romeinse cijfers zijn aangegeven. Het meest recent is de DSM-IV (1994). DSM-V wordt in 2012 verwacht.

Dysthyme stoornis Vorm van depressie, waarbij ten minste gedurende twee jaar langdurige perioden van depressieve stemming bestaan.

Epidemiologie De wetenschap van de mate waarin ziekten voorkomen en van de factoren die de frequentie ervan bepalen. In de gezondheidszorg werken epidemiologie en statistiek nauw samen.

Fobie Angststoornis, waarbij iemand bang is voor bepaalde voorwerpen, dieren, mensen of situaties, die duidelijk aanwijsbaar zijn.

Ggz Geestelijke Gezondheidszorg.

Hyperventilatie Het totaal van lichamelijke klachten dat optreedt wanneer iemand te snel en te diep ademt, zonder dat er sprake is van zware lichamelijke inspanning. Gebleken is dat dezelfde klachten ook kunnen optreden bij een 'normale' ademhaling.

Karakter De kenmerken die bij een bepaalde persoon horen; de meeste wetenschappers gebruiken niet het woord 'karakter', maar 'persoonlijkheid', omdat deze term ruimte laat voor toekomstige veranderingen.

Motivatie De wil om iets te bereiken, de bereidheid om zich daar inspanningen voor te getroosten.

Paniek Plotselinge angst die zo hevig is dat iemand de controle over zijn normale handelen en denken verliest. Dit gaat veelal gepaard met lichamelijke verschijnselen zoals het gevoel te stikken, hartkloppingen, zweten, trillen, tintelingen in handen en voeten en een gevoel van slapte.

Paniekstoornis Angststoornis waarbij de paniek in aanvallen optreedt.

Persoonlijkheid Een moeilijk te definiëren begrip dat staat voor de essentiële eigenschappen van een persoon; de karakteristieke manier waarop hij denkt en de wereld tegemoet treedt.

Persoonlijkheidsstoornis Hiervan spreken we wanneer de tekortkomingen in de persoonlijkheid (of karakter) zo sterk aanwezig zijn dat de grens van het ziekelijke is overschreden. Het komt vooral naar voren in de omgang met andere mensen.

Posttraumatische stressstoornis (PTSS) Angststoornis die ontstaat na een ingrijpende, vaak levensbedreigende gebeurtenis.

Prognose Het voorspellen van het beloop van een stoornis, met of zonder behandeling.

Psychose Psychiatrische stoornis waarbij de patiënt de werkelijkheid geheel of gedeeltelijk op afwijkende wijze ervaart. Hij is dan *psychotisch*.

Psychosociaal Een combinatiewoord waarmee wordt aangegeven dat het een zaak betreft met psychische en sociale aspecten in een onderlinge samenhang.

Psychotherapie (Niet-lichamelijke) behandeling die een verlichtend effect heeft op een emotionele, gedragsmatige of mentale stoornis.

RIAGG Regionale Instelling voor Ambulante Geestelijke Gezondheidszorg.

Serotonine Stof (neurotransmitter) die in bepaalde delen van de hersenen nodig is voor het overbrengen van impulsen van de ene zenuw op de andere en waarbij een verstoord evenwicht onder meer kan leiden tot een depressie.

Sessie Letterlijk: 'zitting'; bijeenkomst, bijvoorbeeld in het kader van een therapie.

Somatisch Lichamelijk, op lichamelijk gebied.

SPV Sociaal Psychiatrisch Verpleegkundige

Statistiek De leer en methode om door middel van cijfermateriaal inzicht te krijgen in hetgeen in de maatschappij bestaat en werkt.

Symptoom Uitingsvorm van een ziekte; verschijnsel.

Syndroom Ziektebeeld dat gevormd wordt door een complex van symptomen die gezamenlijk voorkomen.

Trauma Letterlijk: wond; niet alleen gebruikt voor een lichamelijke wond door een fysieke oorzaak, maar ook voor een psychische wond, een voorval of ervaring met een negatieve emotionele betekenis van schokkende of overweldigende aard (bijv. verkrachting).

Waan Een vorm van psychose die het denken betreft. Een onterechte, overdreven achterdocht is bijvoorbeeld een paranoïde waan.

WAO Wet op de Arbeidsongeschiktheid.

WHO *World Health Organization*, Wereldgezondheidsorganisatie.

WIA Wet Werk en Inkomen naar Arbeidsvermogen.

WW Werkloosheidswet.

Adressen

Paul Wisman, de auteur van dit boek, is als redacteur ook betrokken bij het tijdschrift *Silhouet* – met de focus op angst en depressie. Hierin verschijnen tal van artikelen op het gebied van depressie en angst, geschreven in een toegankelijke vorm, zonder onnodige vaktaal, maar wel wetenschappelijk up-to-date.

De naam *Silhouet* is gekozen vanuit de gedachte dat mensen die lijden aan angst of depressie, niet meer helemaal zichzelf zijn. Door de ziekte missen zij als het ware een dimensie; ze worden een schim van zichzelf, een silhouet.

Silhouet is bedoeld voor professionals en geïnteresseerde meelezers. Het is onafhankelijk (er staat geen reclame in) en verschijnt vier keer per jaar. Sinds 2008 heet het tijdschrift voluit *NedKAD/ Silhouet* om aan te geven dat er een fusie heeft plaatsgevonden met NedKAD (Nederlands Kenniscentrum voor Angst en Depressie). Zie verder bij de beschrijving van deze organisatie.

Angst, Dwang en Fobie-stichting (ADF)

De ADF-stichting is een landelijke patiëntenvereniging van en voor mensen met angst- en dwangklachten. Angstklachten gaan regelmatig gepaard met depressie. Vandaar dat de patiëntenvereniging ook aan deze groep mensen adviseert. De medewerkers van de ADF, veelal ervaringsdeskundigen die een interne opleiding hebben gehad, informeren en adviseren patiënten met angststoornissen, familieleden en betrokkenen. De ADF werkt samen met gespecialiseerde, geregistreerde en ervaren gedrags- en psychotherapeuten evenals met alle, over heel Nederland verspreide, angstpoliklinieken. Ook organiseert ze patiëntenbijeenkomsten en steunt ze wetenschappelijk onderzoek.

Activiteiten:
Inloopochtend: voor een persoonlijk gesprek met een van de medewerkers en bij vragen over behandeling of doorverwijzing naar een (geregistreerde) therapeut. Men kan diverse boeken inkijken en eventueel kopen. Locaties:
Driebergen: elke donderdag van 09.30 tot 11.30 uur. Adres: Hoofdstraat 122; Driebergen.
Alkmaar: iedere eerste dinsdagmiddag van de maand van 14.00 tot 16.00 uur; adres: bibliotheek De Mare (1e verdieping; ruimte van het GIP), Laan van Straatsburg 2, 1826 BZ Alkmaar.
Hilversum: persoonlijk gesprek op afspraak; adres: bibliotheek, 's-Gravelandseweg 55, 1217 EH Hilversum.

Telefonische helpdesk:
Voor informatie en advies over allerhande situaties op werkdagen tussen 9.00 en 13.30 uur; maandag- t/m donderdagavond
van 19.00 tot 20.30 uur.

Therapiebemiddeling:
De ADF-stichting heeft een netwerk van gespecialiseerde en geregistreerde (reguliere) therapeuten die veel ervaring hebben in de
behandeling van angst- en dwangstoornissen.
Leden kunnen gebruik maken van dit netwerk.
Spreekuur psychiater: voor een *second opinion*, informatie en advies kan een afspraak gemaakt worden met een ervaren psychiater. Hiervoor kunt u contact opnemen via 0900-2008711.

Lotgenotencontacten:
Op diverse plaatsen in het land organiseert de ADF lotgenoten-
avonden, waarbij onderling ervaring en informatie uitgewisseld
kunnen worden. Tevens worden bepaalde thema's behandeld die
door de groepsleden zelf worden bepaald en kan er een deskundige (therapeut, psychiater) uitgenodigd worden.

Zelfhulpgroepen:
Om op een effectieve manier zelf aan de slag te gaan met klachten. De groepen worden begeleid door getrainde ervaringsdeskundigen.

Cursussen/trainingen:
De ADF organiseert diverse cursussen, o.a. de training sociale
angst voor volwassenen en adolescenten; cursus voor ouders en
partners van dwangpatiënten.

Kwartaalblad Vizier:
Hierin: persoonlijke verhalen, actuele activiteiten van de ADF-
stichting en wetenschappelijke informatie op het gebied van be-
handeling van angststoornissen en depressie.
Voorlichtingsmateriaal en literatuur:
Brochures en flyers met nadere informatie over de diverse angst-
stoornissen en depressie.
Tevens zijn er diverse (zelfhulp)boeken en cd's.

Website:
Op de website staat informatie over de activiteiten van de pati-
entenvereniging, over de behandeling en ook andere artikelen.
Voor leden is er de mogelijkheid om te chatten met lotgenoten
en onderling ervaringen uit te wisselen.

Contactgegevens ADF:
Adres:
Hoofdstraat 122
3972 LD Driebergen
tel.nr.: 0900-2008711 (werkdagen van 9.00-13.30 uur en maandag- t/m donderdagavond van 19.00 tot 20.30 uur; 0,35 euro per minuut);
e-mail: info@adfstichting.nl
website: www.adfstichting.nl

Stichting Pandora

Pandora zet zich in voor een betere maatschappelijke positie van de (ex-)psychiatrische patiënt. Zij doet dit door het geven van voorlichting, o.a. gericht op het wegnemen van vooroordelen over psychiatrische patiënten.
Adres:
2e C. Huygensstraat 77
1054 CS Amsterdam
Postbus 75622
1070 AP Amsterdam
Informatie- en adviesspreekuurnummer: 020-685 11 71 (maandag t/m vrijdag 9-13 uur);
Lotgenotenlijn Depressie: 020-612 09 09 (maandag t/m vrijdag 18-21 uur).

Korrelatie Gezondheidslijn

Hebt u na het lezen van dit boek nog vragen over dwang (of andere psychische klachten) waarvan u niet weet waar u die kunt stellen, bel dan naar de Korrelatie Gezondheidslijn,
tel.nr.: 0900-1450 (op werkdagen bereikbaar van 9.00-21.00 uur, 0,30 euro per minuut). De medewerkers van de Korrelatie Gezondheidslijn kunnen u vertellen welke organisatie in Nederland de hulp of informatie biedt die u zoekt.

Fonds Psychische gezondheid

60 jaar sterk in hoofdzaken
Het Fonds Psychische Gezondheid zet zich in voor verbetering van de psychische gezondheid van mensen. Het Fonds doet dit door subsidie te geven voor onderzoek en projecten die de geestelijke gezondheidszorg verbeteren. Daarnaast is een belangrijke taak van het Fonds publieksvoorlichting over psychische problemen. In de webwinkel zijn brochures over allerlei psychische problemen te bestellen. Het Fonds houdt ieder jaar rond 10 oktober, de Landelijke Dag Psychische Gezondheid, een publiekscampagne. Verder heeft het Fonds een lespakket voor het MBO en verzorgt het lezingen in het land.

Adres:
Stationsplein 125
3818 LE Amersfoort
T: 033-421 84 10
Voor een luisterend oor, informatie en advies:
De Psychische Gezondheidslijn, 0900-903 903 9 (0,20 euro p/m,
maandag t/m vrijdag 10.00-16.00 uur); word donateur of stort
uw gift op giro 4003.
website: www.psychischegezondheid.nl
Contactpersoon voor informatie rond publiekscampagnes en dergelijke: mw. dr. A.M.M. Dercksen, hoofd Communicatie & Voorlichting.

NedKAD: Nederlands Kenniscentrum Angst en Depressie

Angst en depressie (ofwel: angst- en stemmingsstoornissen)
behoren tot de meest voorkomende psychische stoornissen in
ons land. Bij sommige mensen zijn de klachten van korte duur.
Bij anderen kunnen deze aandoeningen langdurig voorkomen.
Angst- en stemmingsstoornissen hebben negatieve gevolgen op
de kwaliteit van het leven van de desbetreffende persoon, diens
partner en naasten, en voor de samenleving als geheel.

Voor wie?
Het Nederlands Kenniscentrum Angst en Depressie (NedKAD)
richt zich op twee groepen: op patiënten/cliënten en hun naasten
én op behandelaars en andere professioneel geïnteresseerden.

Doel:
Verbering van de kwaliteit van de hulpverlening aan mensen met
angst- en stemmingsklachten. Dat gebeurt door:
• Kennis aan behandelaars en patiënten/cliënten over te dragen
• Wetenschappelijk onderzoek te stimuleren
• Expertise op het gebied van diagnostiek, behandeling en preventie te ontwikkelen

Hoe wordt het doel bereikt?
Via de website: www.nedkad.nl
De website van NedKAD bevat nieuws en informatie voor patiënten/cliënten, hun naasten en behandelaars op het gebied van
de diagnostiek en behandeling van angst- en stemmingsstoornissen. Er zijn overzichten te vinden van de behandelrichtlijnen en
diagnose-, behandel- en meetinstrumenten.

Tijdschrift:
Het tijdschrift van NedKAD, *Silhouet*, richt zich op geïnteresseerde leken en behandelaars die betrokken zijn bij de behandeling van mensen met angst en depressie. Oorzaak, preventie,
diagnostiek en behandeling (medicamenteus of psychotherapeu-

tisch) van angststoornissen en depressie komen aan bod, evenals nieuwe inzichten en ontwikkelingen. Daarnaast bevat *Silhouet* referaten van wetenschappelijke artikelen uit binnen- en buitenland en gevalsbesprekingen. Het blad verschijnt 4x per jaar.
Redactieadres:
Katja Pereira, Asmanstraat 2
2481 AG Woubrugge
e-mailadres: redactie@silhouet-online.nl
Silhouet kan goed gebruikt worden als tijdschrift in de wachtkamer.
Zie ook: www.silhouet-online.nl voor informatie over abonnementen en verdere informatie.

NedKAD is te bereiken via: info@nedkad.nl
NedKAD is géén hulpverlenende instantie. Het verzorgt géén consulten en/of *second opinions*. NedKAD geeft géén oordeel over gevolgde of voorgestelde behandelingen.
NedKAD bundelt wél expertise (kennis en ervaring) van behandelcentra, universiteiten, verzekeraars en patiëntenverenigingen. NedKAD werkt samen met het landelijke NESDA-onderzoek (www.nesda.nl) en het Trimbos-instituut. Het centrum wordt gefinancierd door de deelnemende ggz-instellingen.

Literatuur

Enige geraadpleegde literatuur, geschikt voor hen die zich verder in het onderwerp willen verdiepen.

APA (American Psychiatric Press), *Beknopte handleiding bij de diagnostische criteria van de DSM-IV*, Swets & Zeitlinger, Lisse, 1995.
Jeffrey E. Young, *Schemagerichte therapie: handboek voor therapeuten* (Ned. vert. van: *Schema therapy: a practitioner's guide*, New York, 2003), Bohn Stafleu Van Loghum, Houten, 2005.
P.C. Kuiper, *Ver heen, verslag van een depressie*, SDU, 's-Gravenhage, 1988/2001.
A.J.F.M. Kerkhof en M. van Egmond, *De dreiging van suïcide. Handboek Klinische Psychologie*, Bohn Stafleu Van Loghum, Houten, april 1994 (Zie ook de vele recentere publicaties van dr. Kerkhof over het onderwerp 'suicide').

In de reeks Spreekuur Thuis, waarin ook dit boek is verschenen:
Paul Wisman, *Dwang dwingt: alles over dwangstoornissen*, 3e geheel herziene druk, Inmerc, Wormer, 2008.
Paul Wisman, *Circus depressie,* Inmerc, Wormer, 2006.

Register

Spreekuur Thuis®

Actuele informatie over ziekte en gezondheid

Spreekuur Thuis® staat borg voor voorlichting volgens de laatste medische inzichten. De boeken en websites komen tot stand in nauwe samenwerking met een netwerk van medisch deskundigen. Deze deskundigen, met name (huis)artsen en specialisten, treden op als auteurs. Ze werken hierbij samen met patiëntenverenigingen.
Een adviesraad zorgt voor dagelijkse ondersteuning. Daarnaast functioneren gespecialiseerde teams per titel en per website.

De boeken en websites richten zich in de eerste plaats op de patiënt en zijn directe omgeving. Ze kenmerken zich door een overzichtelijke opbouw en begrijpelijk taalgebruik. De belangrijkste aspecten van een ziekte – de verschijnselen, de oorzaken, de onderzoek- en behandelmethoden – zijn duidelijk en helder beschreven.

Spreekuur Thuis® websites

Wat betekent myeline? Wat houdt hypertensie in? Voor antwoord op al uw vragen, is er www.spreekuurthuis.nl. Op www.spreekuurthuis.nl vindt u de meest actuele informatie over ziektes en aandoeningen. De belangrijkste aspecten worden, net als in de gelijknamige boeken, op heldere wijze uiteengezet.

Maar u vindt nog meer op de site: een medisch woordenboek, adressen van patiëntenverenigingen, specialistische behandelcentra, koepelorganisaties enz. en een medisch spreekuur waar u een specialistenpanel kan raadplegen voor een second opinion.

Spreekuur Thuis®-boeken

Spreekuur Thuis-boeken zijn verkrijgbaar bij de betere boekhandel, bij de hoofdfilialen van warenhuizen en kioskketens, bij apotheken en via de betrokken patiëntenverenigingen. Ook zijn de boeken te leen bij alle openbare bibliotheken. In de serie verschenen de volgende titels:

Allergie door prof. dr. R. Gerth van Wijk en dr. H. de Groot

Als ademen moeite kost. Alles over COPD en Astma door dr. F.M.J. Toben en dr. F.H. Krouwels

Als de werkelijkheid onbegrijpelijk wordt. Alles over schizofrenie en andere psychotische stoornissen door dr. A. Wunderink

Als je geest een vuurpijl is. Alles over manisch-depressieve stoornis door dr. Rocco Hoekstra en drs. Hans Kamp

Altijd pijn: wat is hier aan te doen? door prof. dr. Wouter W.A. Zuurmond

Bestraling: wat betekent dat voor mij? door dr. ir. H.B. Kal, dr. V.J. de Ru en prof. dr. H. Struikmans

Broze botten. Alles over de preventie en behandeling van osteoporose door prof. dr. J.C. Netelenbos en drs. Wiebe Braam

Chemo en meer, veel over chemotherapie en nieuwe medicijnen door dr. H. Sleeboom

Cholesterol, zorg dat je goed zit door prof. dr. J.J.P. Kastelein en dr. ir. J.C. Defesche

Circus depressie door drs. Paul Wisman

Depressie door drs. Robert Houtman

Door dik en dun. Over anorexia en boulimia nervosa door prof. dr. W. Vandereycken

Dwang dwingt. Alles over dwangstoornissen door drs. Paul Wisman

Een steuntje in de rug. Spoor zelf de oorzaak van rugklachten op! door dr. Leo van Deursen

Een tumor: wat kunnen hormonen hieraan doen? door prof. dr. Hans Nortier en dr. Rob Pelger

Epilepsie door drs. M. Engelsman

Geen prikkels, geen seks? Over erectieproblemen en wat daar aan te doen is door dr. Bert-Jan de Boer

Hoge bloeddruk: wat kan ik er aan doen? door drs. R.J. Timmerman

Iedere maand pijn. Oorzaken en behandeling van endometriose door dr. Annemiek Nap, dr. Wim Willemsen en prof. dr. Thomas D'Hooghe

Ik ben het steeds meer kwijt. Over Alzheimer en andere vormen van dementie door drs. Paul Dautzenberg en drs. Wiebe Braam

Incontinentie door prof. dr. Ph.E.V.A. van Kerrebroeck

Maagklachten door prof. dr. A.J.P.M. Smout

Meten is weten. Alles over diabetes mellitus door dr. J.W.F. Elte

Obesitas en overgewicht door dr. Pierre M.J. Zelissen

Obstipatie door prof. dr. A.J.P.M. Smout

Ontmantelde zenuwen. Alles over multiple sclerose door dr. E. Sanders en dr. R. Hupperts

Opereren op weg naar genezing. Alles over chirurgie bij kanker door dr. Frans Zoetmulder

Pollenvlucht door dr. Hans de Groot

Prikkelbare Darm Syndroom door prof. dr. A.J.P.M. Smout

Schildklierafwijkingen door dr. J.W.F. Elte

Slaap-waak ritme stoornissen door drs. Wiebe Braam en dr. M. Smits

Somberheid troef. Feiten, vragen en verhalen rond depressie door Paul Wisman

Spieren in de vertraging. Alles over de ziekte van Parkinson door drs. Wiebe Braam en drs. Ewout Brunt

Stuiterend door het leven? Alles over ADHD door drs. Rob Rodrigues Pereira

Waarom ben je zo? Over persoonlijkheidsstoornissen door dr. Moniek Thunnissen

Werken aan gezonde vaten. Alles over de preventie van hart- en vaatziekten door drs. Bep Franke en dr. Jan Dirk Banga

www.inmerc.nl

Inmerc maakt deel uit van Kosmos Uitgevers, Utrecht/Antwerpen

Somberheid troef is een uitgave van Inmerc bv in de serie
Spreekuur Thuis®.

© 2010 Inmerc bv, Utrecht/Antwerpen

Omslagontwerp: Louis Visser, Waalre
Vormgeving: Joen design, Wormer

ISBN 978 90 6611 639 9
NUR 860